175 Juegos y Ejercicios de FÚTBOL

Didácticos y divertidos para entrenar la técnica, la táctica y la preparación física

Joseph A. Luxbacher

TUTOR

Editor: David Domingo

Coordinación editorial: Paloma González

Traducción: José Miguel Álvarez Gómez

Asesor técnico: Carlos Cantarero

Título original: *Soccer Practice Games. 175 games for technique, training, and tactics.*
   Third Edition.
Publicado por primera vez en EE.UU. por Human Kinetics, Inc.

© 2010, 2003 y 1995 *by* Joseph A. Luxbacher
© 2012 de la versión española
   by Ediciones Tutor, S.A.
   Marqués de Urquijo, 34. 28008 Madrid
   Tel.: 91 559 98 32. Fax: 91 541 02 35
   e-mail: info@edicionestutor.com
   www.edicionestutor.com

Miembro de la
World Sports Publishers' Association
(WSPA)

Diseño de cubierta: José M.ª Alcoceba
Fotografía de cubierta: © Human Kinetics
Fotografías de interior: Neil Bernstein, excepto las de las págs. 21, 25, 51, 75, 99, 123,
   139, 169 y 195 © Human Kinetics
Agradecemos a la Universidad de Pittsburgh, Pensylvania, su ayuda al facilitarnos la
   localización para realizar las fotografías de este libro.

ISBN: 978-84-7902-926-5
Depósito legal: M-21.855-2012
Impreso en Artes Gráficas COFÁS
Impreso en España - *Printed in Spain*

A mi padre y a mi madre, Francis y Mary Ann Luxbacher, los mejores padres que un niño jamás podría desear, quienes siempre me animaron a ir en busca de mis pasiones. Su presencia siempre estará conmigo. Y también a mis hijos, Eliza y Travis, con la esperanza de que también ellos sigan sus pasiones y experimenten tanto placer y entusiasmo con las carreras que elijan como yo he hecho con la mía.

Índice de contenidos

Buscador de juegos

Número de juego	Título del juego	Nivel de dificultad	Número de jugadores*	Conducción, regate y protec. del balón	Entradas defensivas	Pase y recepción	Tiro a puerta	Remate de cabeza	Porteros	Número de página
	Capítulo 2: Juegos de calentamiento y preparación física									
1	Grupo encadenado	●◐◑	ilimitado							27
2	Liebres y sabuesos	●◐◑	(4)							28
3	Pasar y seguir	●◐◑	5			✓				29
4	Doctor, doctor	●◐◑	15+	✓						30
5	Pillar el peto	●◐◑	ilimitado	✓						31
6	Carrera de conducción por relevos	●◐◑	(4-6)	✓						32
7	Los gemelos perseguidores	●◐◑	ilimitado							33
8	Regatear el acoso	●◐◑	ilimitado	✓		✓				34
9	Regatear la congelación	●◐◑	ilimitado	✓						35
10	Ataque de tiburón	●◐◑	ilimitado	✓						36
11	Un equipo la lleva	●◐◑	12-16	✓						37
12	Lanzamiento al blanco	●●◑	12-20							38
13	Competición de túneles	●●◑	ilimitado	✓		✓				39
14	Posesión de *pinball*	●●◑	5-8			✓				40
15	El ataque de los cangrejos gigantes	●●◑	11-20	✓						41
16	Tiburones y peces	●●◑	ilimitado	✓	✓					42
17	Unirse a la cacería	●●◑	12-20	✓		✓				43
18	Balonmano en equipo	●●◑	12-20							44
19	Competición de entregas	●●◑	ilimitado	✓						45
20	Pase a través de la portería móvil	●●◑	ilimitado	✓		✓				46
21	Tiro al blanco	●●◑	6			✓				47
22	Correr las bases	●●◑	16-20	✓						48
23	Perseguir al coyote	●●●	ilimitado	✓		✓				49
24	Tiro al pez	●●●	ilimitado	✓		✓				50

* *Los paréntesis indican que los jugadores son divididos en grupos del número indicado.*

 Nivel básico   Nivel intermedio  Nivel avanzado

Número de juego	Título del juego	Nivel de dificultad	Número de jugadores	Conducción, regate y protec. del balón	Entradas defensivas	Pase y recepción	Tiro a puerta	Remate de cabeza	Porteros	Número de página
Capítulo 3: Juegos de conducción, regate, protección del balón y entradas defensivas										
25	Ser la sombra del atacante	⚽⚽⚽	ilimitado	✓						53
26	Regatear para mantener la posesión	⚽⚽⚽	ilimitado	✓						54
27	Soltar a los perros	⚽⚽⚽	ilimitado	✓						55
28	Imanes	⚽⚽⚽	ilimitado	✓						56
29	Luz roja, luz ámbar, luz verde	⚽⚽⚽	ilimitado	✓						57
30	Arranques, paradas y giros	⚽⚽⚽	ilimitado	✓						58
31	Regatear la portería vacía	⚽⚽⚽	8-16	✓						59
32	Caja de cambios	⚽⚽⚽	ilimitado	✓						60
33	Protege tu balón	⚽⚽⚽	ilimitado	✓	✓					61
34	Salir de la presión	⚽⚽⚽	ilimitado	✓						62
35	Canicas de fútbol	⚽⚽⚽	(3)	✓		✓				63
36	El primero en llegar al cono	⚽⚽⚽	ilimitado	✓						64
37	Carrera de velocidad conduciendo el balón	⚽⚽⚽	ilimitado	✓						65
38	Conducción de balón con eslalon de relevos	⚽⚽⚽	(3-5)	✓						66
39	Lobos y ovejas	⚽⚽⚽	ilimitado	✓						67
40	Entrar a todos los balones	⚽⚽⚽	ilimitado	✓	✓					68
41	Muy pocos balones	⚽⚽⚽	20-24	✓	✓					69
42	K.O.	⚽⚽⚽	10-20	✓	✓					70
43	El primero en llegar al fondo	⚽⚽⚽	10-20	✓	✓					71
44	Robo de banco	⚽⚽⚽	ilimitado	✓	✓					72
45	La fuga	⚽⚽⚽	ilimitado	✓	✓					73
46	Navegación por el canal	⚽⚽⚽	ilimitado	✓	✓					74

 Nivel básico    Nivel intermedio    Nivel avanzado

Número de juego	Título del juego	Nivel de dificultad	Número de jugadores	Conducción, regate y protec. del balón	Entradas defensivas	Pase y recepción	Tiro a puerta	Remate de cabeza	Porteros	Número de página
Capítulo 4: Juegos de pase y recepción del balón										
47	Pase a través de los canales	básico	ilimitado	✓		✓				77
48	Unir los puntos	básico	(5-8)	✓		✓				78
49	Alrededor del cuadrado	intermedio	12-16			✓				79
50	Encontrar al jugador desmarcado	intermedio	(4)			✓				80
51	Pases rápidos	intermedio	(4-5)			✓				81
52	Pared, giro y otra vez	intermedio	(4)			✓				82
53	Balones aéreos	intermedio	10			✓				83
54	Malabarismos en grupo	intermedio	(3)			✓				84
55	Lanzar, amortiguar y coger	intermedio	10-14			✓				85
56	Fútbol prisionero	intermedio	12-20	✓		✓				86
57	Encontrar el hueco	intermedio	(4)			✓				87
58	La caza del zorro	intermedio	ilimitado	✓		✓				88
59	Pases en el perímetro	intermedio	9-12			✓				89
60	Blancos móviles	avanzado	12-20	✓		✓				90
61	4 contra 4 contra 4	avanzado	12			✓				91
62	La posesión del gran grupo	avanzado	15-21			✓				92
63	8 contra 8 (+2). Cruzando la línea central	avanzado	18			✓				93
64	Pase en profundidad al extremo	avanzado	8-12	✓	✓	✓				94
65	Gol en porterías múltiples	avanzado	10-14	✓	✓	✓				95
66	6 contra 3 de costa a costa	avanzado	20	✓	✓	✓	✓		✓	96
67	Volei-fútbol	avanzado	10-20			✓		✓		97
68	5 (+5) contra 5 (+5)	avanzado	20-24		✓	✓				98
Capítulo 5: Juegos de tiro a puerta y finalización de jugadas										
69	Regates en el laberinto y gol	básico	4-6	✓			✓		✓	101
70	Tiro a puerta tras conducción en slalon	básico	8-10	✓			✓		✓	102
71	Bota de oro	básico	3	✓			✓		✓	103
72	Locura goleadora en la Copa del Mundo	intermedio	9-13	✓	✓	✓	✓		✓	104
73	Finalizar la jugada bajo presión	intermedio	(4)				✓		✓	105

Nivel básico   Nivel intermedio   Nivel avanzado

Número de juego	Título del juego	Nivel de dificultad	Número de jugadores	Conducción, regate y protec. del balón	Entradas defensivas	Pase y recepción	Tiro a puerta	Remate de cabeza	Porteros	Número de página
Capítulo 5: Juegos de tiro a puerta y finalización de jugadas (continuación)											
74	Pase y disparo	●●○	7				✓			106
75	Tiros de larga distancia 3 (+1) contra 3 (+1)	●●○	10	✓	✓	✓	✓			107
76	Marcar en la portería central	●●○	7-11	✓	✓	✓	✓			108
77	Finalizar los centros al área	●●○	6			✓	✓			109
78	Escapada y gol	●●○	ilimitado	✓			✓			110
79	Lanzar y volear para marcar	●●○	3				✓			111
80	Puerta vacía	●●○	10-14				✓			112
81	3 contra 1 en el área	●●○	6			✓	✓			113
82	Gol en jugada ensayada	●●○	8				✓			114
83	Goles de portería a portería	●●○	14	✓		✓	✓			115
84	2 contra 2 a puerta	●●○	11	✓	✓	✓	✓			116
85	Goles a distancia	●●○	12	✓	✓	✓	✓			117
86	Tirar para marcar	●●○	4	✓	✓		✓			118
87	Gol con superioridad numérica	●●○	12	✓	✓	✓	✓			119
88	Tiros de volea	●●●	8-12				✓			120
89	Gol en una transición de 3 contra 2 a 2 contra 1	●●●	14	✓	✓	✓	✓			121
90	Ataque en inferioridad numérica	●●●	8	✓	✓	✓	✓			122
Capítulo 6: Juegos de remate de cabeza											
91	Lanzar y cabecear para marcar	●○○	(3)					✓		125
92	Muñeco saltarín	●●○	(3)					✓		126
93	Cabeceo de portería a portería	●●○	ilimitado					✓		127
94	Carrera de cabezazos de principio a fin	●●○	(4-6)					✓		128
95	Malabarismos de cabeza en grupo	●●○	(4)					✓		129
96	Marcar gol a partir de un balón aéreo	●●○	9				✓	✓		130
97	Cabezazo defensivo	●●○	(3)					✓		131
98	Competición de cabezazos por equipos	●●○	ilimitado					✓		132
99	Cabezazos en plancha	●●●	ilimitado					✓	✓	133

 Nivel básico   Nivel intermedio   Nivel avanzado

Número de juego	Título del juego	Nivel de dificultad	Número de jugadores	Conducción, regate y protec. del balón	Entradas defensivas	Pase y recepción	Tiro a puerta	Remate de cabeza	Porteros	Número de página
Capítulo 6: Juegos de remate de cabeza *(continuación)*										
100	Gol de cabeza 1 contra 1	Avanzado	6			✓		✓		134
101	3 contra 2 (+ pasadores) en el área de penalti	Avanzado	8			✓		✓	✓	135
102	Cabezazos en plancha hacia múltiples porterías	Avanzado	10-12					✓		136
103	Lanzar, coger y cabecear para marcar gol	Avanzado	12-16					✓		137
104	Solo goles de cabeza en un 5 contra 2 y 5 contra 2	Avanzado	10			✓		✓		138
Capítulo 7: Juegos de táctica individual y en pequeños grupos										
105	1 contra 1 en la misma portería	Básico	ilimitado	✓	✓					141
106	Defender la línea de meta (1 contra 1)	Básico	ilimitado	✓	✓					142
107	1 contra 1 hacia la miniportería	Intermedio	4	✓	✓					143
108	1 contra 1 simultáneo (+ apoyo)	Intermedio	8	✓	✓					144
109	Atacar la portería menos defendida	Intermedio	6-8	✓	✓	✓				145
110	Ataque 1 contra 2	Intermedio	7	✓	✓					146
111	Inferioridad numérica en el área	Intermedio	5	✓	✓		✓		✓	147
112	Tirar la pared (2 contra 1)	Intermedio	(3)	✓	✓	✓				148
113	Atacar la línea de córner en 2 contra 1	Intermedio	3	✓	✓	✓				149
114	Transición 2 contra 1 (+1)	Intermedio	4	✓	✓	✓	✓			150
115	Apoyo triangular (3 contra 1)	Intermedio	(4)	✓	✓	✓				151
116	El último jugador defiende	Intermedio	5	✓	✓	✓				152
117	2 contra 2 con apoyo	Intermedio	8	✓	✓	✓				153
118	2 contra 2 (+ dianas)	Intermedio	6	✓	✓	✓				154
119	Transición 3 contra 2 (+1)	Intermedio	6	✓	✓	✓	✓			155
120	Separar la defensa	Intermedio	6	✓	✓	✓				156
121	Posesión para atravesar la defensa	Intermedio	8	✓	✓	✓				157
122	Impedir la penetración ofensiva	Intermedio	6	✓	✓	✓				158
123	4 contra 2 (+2) hacia las 4 porterías	Intermedio	8	✓	✓	✓	✓		✓	159
124	Posesión 3 contra 3 (+1)	Intermedio	7	✓	✓	✓				160

 Nivel básico   Nivel intermedio    Nivel avanzado

Número de juego	Título del juego	Nivel de dificultad	Número de jugadores	Conducción, regate y protec. del balón	Entradas defensivas	Pase y recepción	Tiro a puerta	Remate de cabeza	Porteros	Número de página
Capítulo 7: Juegos de táctica individual y en pequeños grupos *(continuación)*										
125	Contraataque veloz	●●○	8	✓	✓	✓	✓			161
126	Porterías de dos caras	●●○	10	✓	✓	✓	✓			162
127	Marcar para quedarse	●●●	10	✓	✓	✓	✓		✓	163
128	Tres zonas	●●●	12	✓	✓	✓	✓		✓	164
129	Defensa zonal	●●●	8	✓	✓	✓	✓			165
130	Ataque por los flancos	●●●	12	✓	✓	✓	✓	✓	✓	166
131	5 contra 5 (+2) en seis porterías	●●●	12	✓	✓	✓				167
Capítulo 8: Juegos de táctica de equipo en grandes grupos										
132	Posesión 6 contra 4 (+4)	●●○	14	✓	✓	✓				171
133	Defensa y ataque de equipo (7 contra 5)	●●○	13	✓	✓	✓		✓	✓	172
134	Regate en la línea de meta para marcar gol	●●●	12-16	✓	✓	✓				173
135	Regate táctico	●●●	12-16	✓	✓	✓	✓	✓	✓	174
136	Competición con cuatro porterías	●●●	22	✓	✓	✓	✓	✓	✓	175
137	Defender el contraataque	●●●	19	✓	✓	✓	✓	✓	✓	176
138	6 contra 6 (+6) hacia la portería	●●●	20	✓	✓	✓	✓	✓	✓	177
139	Ataque con números	●●●	18	✓	✓	✓	✓	✓	✓	178
140	Estirar el campo	●●●	20	✓	✓	✓	✓	✓	✓	179
141	10 contra 5 (+5)	●●●	20	✓	✓	✓		✓	✓	180
142	Transición 4 contra 4 hacia las zonas de fondo	●●●	16	✓	✓	✓				181
143	Contraataque 10 contra 5	●●●	15	✓	✓	✓				182
144	Transición de 4 contra 6 a 6 contra 4	●●●	22	✓	✓	✓	✓	✓	✓	183
145	9 contra 9 en seis miniporterías	●●●	18	✓	✓	✓	✓	✓		184
146	4 (+4) contra 4 (+4) en porterías reglamentarias	●●●	18	✓	✓	✓	✓	✓	✓	185
147	Pase largo	●●●	20	✓	✓	✓	✓	✓	✓	186
148	Pase al jugador diana	●●●	20	✓	✓	✓	✓	✓		187
149	Conservar la ventaja	●●●	20	✓	✓	✓		✓	✓	188
150	Finalizar la jugada en 6 contra 4	●●●	12	✓	✓	✓	✓	✓	✓	189

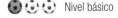 Nivel básico  Nivel intermedio Nivel avanzado

Número de juego	Título del juego	Nivel de dificultad	Número de jugadores	Conducción, regate y protec. del balón	Entradas defensivas	Pase y recepción	Tiro a puerta	Remate de cabeza	Porteros	Número de página
Capítulo 8: Juegos de táctica de equipo en grandes grupos *(continuación)*										
151	Marcar gol desde lejos	●●●	16	✓	✓	✓	✓	✓	✓	190
152	Porterías de tres lados	●●●	20	✓	✓	✓	✓			191
153	Achicar espacios	●●●	18	✓	✓	✓	✓			192
154	*Pressing* sobre el ataque	●●●	18	✓	✓	✓	✓	✓	✓	193
Capítulo 9: Juegos para porteros										
155	Lanzar y coger	●○○	ilimitado						✓	197
156	Parar balones con bote	●●○	ilimitado						✓	198
157	Capturar disparos de volea	●●○	ilimitado						✓	199
158	Manejar balones bajos	●●○	10	✓			✓		✓	200
159	Parada, tiros a balón parado	●●○	2				✓		✓	201
160	Reflejos y parada	●●○	4				✓		✓	202
161	Disparos y paradas a discreción	●●○	6				✓		✓	203
162	Cerrar los ángulos	●●○	6	✓			✓		✓	204
163	Saque con la mano para distribuir el juego	●●○	6			✓			✓	205
164	Circuito de distribución	●●○	4						✓	206
165	Controlar el área de gol	●●●	16	✓		✓	✓	✓	✓	207
166	Guerras de goles	●●●	ilimitado				✓		✓	208
167	Tirarse al suelo y parar (5 contra 2 + 2 contra 5)	●●●	16	✓	✓	✓	✓	✓	✓	209
168	Defender la portería de dos lados	●●●	10	✓	✓	✓	✓		✓	210
169	Entrenamiento de las salidas por alto	●●●	7			✓		✓	✓	211
170	Guerras aéreas	●●●	18			✓	✓	✓	✓	212
171	Salvar el contraataque	●●●	ilimitado	✓			✓		✓	213
172	Gol solo en contraataque	●●●	7	✓	✓	✓	✓		✓	214
173	Tirador contra portero	●●●	12-16	✓			✓		✓	215
174	Portería de cuatro lados	●●●	10	✓	✓	✓	✓		✓	216
175	Organizar la línea trasera	●●●	14	✓	✓	✓	✓		✓	217

 Nivel básico   Nivel intermedio    Nivel avanzado

Prólogo

175 juegos y ejercicios de fútbol es un libro "de obligada adquisición" para entrenadores y padres de jóvenes futbolistas de todo el mundo. Crear un entorno para los jugadores jóvenes que facilite el aprendizaje y la diversión es crucial para su desarrollo técnico y táctico y para su éxito en la práctica del fútbol. El entrenador Joe Luxbacher le muestra cómo hacerlo.

Este libro está organizado en un formato muy fácil de seguir. El entrenador Luxbacher ofrece una información esencial para planificar con eficacia las sesiones de entrenamiento y la sigue con actividades similares al juego real apropiadas para distintos grupos de edad que facilitan el desarrollo físico, técnico y táctico de los jóvenes. Los juegos y ejercicios vienen descritos con claridad y están acompañados de ilustraciones y fotos que le ayudan a seleccionar los que más pueden beneficiar a sus jugadores.

175 juegos y ejercicios de fútbol hace hincapié en incorporar el aspecto lúdico en el entrenamiento de los jóvenes futbolistas. El fútbol es un juego fluido sin pausas reguladas (no hay tiempos muertos); requiere que los jugadores tomen muchas decisiones en un período de tiempo corto (y que las tomen sobre la marcha). Por lo tanto, para los jugadores la mejor forma de dominar el juego consiste en sumergirse en actividades que reproduzcan el juego. Dicho de otra forma... *¡los jóvenes jugadores juegan mejor al fútbol cuanto más juegan al fútbol!*

La utilización de ejercicios reglamentados que obligan a los jugadores a formar filas para realizar movimientos estructurados y encorsetados ralentiza el ritmo de desarrollo de los jugadores. ¡Y es mucho menos divertido!

Como antiguo Director Nacional para la Enseñanza del Fútbol Base en los Estados Unidos apruebo y apoyo totalmente el empleo de juegos en el entrenamiento. Como actual Director de Entrenamiento y Evaluación de Fútbol Base de Massachusetts a diario llevo a cabo programas de entrenamiento con juegos como estos. Recomiendo *175 juegos y ejercicios de fútbol* a cualquier entrenador de fútbol base o a cualquier persona con hijos que jueguen al fútbol.

Felicito al entrenador Joe Luxbacher por haber creado un gran recurso para el entrenamiento.

Tom Goodman, Máster en Educación
Director de Entrenamiento y Evaluación
Fútbol Base de Massachusetts

Prefacio

¡Fútbol! Este deporte despierta un torrente de pasión y emoción inigualable en el mundo del deporte de competición. Este deporte ofrece un lenguaje común para gentes de diversos orígenes y tradiciones, creando un vínculo que trasciende las barreras políticas, étnicas, religiosas y económicas. Deporte nacional de prácticamente todos los países de Europa, Asia, África, y Sudamérica, el fútbol lo juegan a diario más de un billón de hombres, mujeres y niños. Más de 150 millones de deportistas federados, entre los que se encuentran más de 10 millones de mujeres, juegan al fútbol de forma oficial. Un número incalculablemente mayor da patadas al balón como aficionados en descampados, campos de fútbol y en las calles de pueblos pequeños y grandes urbes. Estos impresionantes números de participantes palidecen ante el increíble número de aficionados que siguen fielmente el fútbol en televisión.

En el Mundial de fútbol de 2010, el encuentro que enfrentó el 11 de julio en la final a España y a Holanda tuvo una audiencia total estimada de 700 millones de personas; por delante de la audiencia de otros acontecimientos deportivos mundiales como la Ceremonia de Inauguración de los Juegos Olímpicos de Pekín en 2008, que consiguió 600 millones de espectadores. De esos 700 millones, 25 millones corresponden a espectadores de Estados Unidos, dato sorprendente por lo cercano al del partido final de la NBA, deporte más popular en EE. UU., entre Los Ángeles Lakers y los Boston Celtics, que congregó en junio de ese mismo año a 28,2 millones.

El atractivo universal del fútbol no se debe a que sea un deporte fácil de practicar. De hecho, el fútbol puede exigir a los deportistas más que otros deportes. Se practica en una pista más grande que cualquier otro deporte a excepción del polo (en el que son los caballos los que realizan la tarea más dura). Los jugadores deben ejecutar una gran variedad de habilidades con los pies sometidos a las presiones del juego: espacio restringido, tiempo limitado, cansancio físico y rivales determinados a adueñarse del balón. No existen tiempos muertos oficiales durante un partido normal de 90 minutos de duración y las sustituciones están limitadas. Para lograr una actuación de éxito es fundamental conocer tácticas y estrategias de juego. Las habilidades de toma de decisiones son constantemente puestas a prueba dado que los jugadores deben responder instantáneamente a situaciones cambiantes durante el juego. Con la excepción del portero, no hay especialistas en el terreno de juego. Cada jugador debe ser capaz de desempeñar un papel en el ataque y en la defensa. Y aunque los futbolistas no necesitan tener ni una talla ni una forma corporal concreta, sí deben contar con un alto nivel de forma y resistencia física. Los jugadores de campo deben correr varios kilómetros durante el transcurso de un partido y un alto porcentaje de esta distancia lo cubren a máxima velocidad. Los retos físicos y mentales que afrontan los futbolistas son muchos y grandes. La actuación individual y grupal depende en último lugar de la capacidad de cada jugador de hacer frente a estos retos.

Considerado en el pasado como deporte "extranjero" por los norteamericanos, hoy en día el fútbol es el segundo deporte de equipo en los Estados Unidos, solo por detrás del baloncesto en cuanto a número de participantes. La participación en el fútbol base continúa aumentando internacionalmente, ya que un número creciente de chicos y chicas de entre 6 y 18 años juegan al fútbol cada año. El aumento de jugadores de todas las edades ha creado como consecuencia la necesidad de más entrenadores de fútbol. Mientras que algunos han crecido jugando al fútbol, muchos son voluntarios con muy poca o ninguna experiencia en la práctica del deporte e incluso menos experiencia enseñando el deporte a los jóvenes. Como resultado, los entrenadores novatos se enfrentan a lo que podría parecer un desafío abrumador en cuanto a proporcionar un buen entorno de entrenamiento a sus equipos. Sin embargo, aunque realmente tuvieran muy poca o ninguna experiencia con el fútbol de pequeños, muchos de los jóvenes entrenadores de hoy en día son magníficos. Se han convertido en excelentes instructores del juego formándose de forma autodidacta, yendo a seminarios, participando en cursos para entrenadores, leyendo libros y viendo partidos de alto nivel. *175 juegos y ejercicios de fútbol* se añadirá a su cuerpo de conocimientos.

Tanto los entrenadores novatos como los experimentados siempre están buscando ejercicios innovadores para utilizar en sus sesiones de entrenamiento. Esta tercera edición de *175 juegos y ejercicios de fútbol* ofrece a los entrenadores una variedad de juegos diseñados para nutrir los aspectos técnicos, tácticos y físicos del desarrollo de los jugadores. Todos los ejercicios estimularán a los jugadores y los mantendrán activos, interesados e implicados. Los juegos son competitivos y divertidos y pueden fácilmente adaptarse a diferentes edades y niveles de habilidad. Los jugadores de cualquier edad responden más favorablemente si están motivados y entusiasmados con lo que están haciendo, es decir, si lo están pasando bien en el proceso. Los juegos aquí descritos crean una atmósfera de entrenamiento así de positiva. Esto no significa que los ejercicios habituales no tengan cabida en el régimen de entrenamiento de un equipo. El entorno de aprendizaje óptimo debería incluir un equilibrio entre los típicos ejercicios de fútbol y los juegos que aparecen en este libro.

Como entrenadores, nunca debemos subestimar la sabiduría fundamental contenida en el dicho "El juego es el mejor profesor". Muchos de los mejores futbolistas de la rica historia del fútbol desarrollaron los fundamentos de sus excepcionales talentos jugando partidillos en las calles de sus infancias. Su posterior desarrollo hasta alcanzar el más alto nivel que el fútbol puede ofrecer no fue el resultado directo de los años de entrenamiento con rutinas altamente estructuradas lideradas por el entrenador, sino más bien de los partidos organizados por los jugadores en los que los participantes y el juego en sí eran los factores principales. Los entrenadores nunca han sido y nunca deberían ser la fuerza motriz que está tras el desarrollo de los jugadores; más bien, deberíamos vernos como los facilitadores de dicho desarrollo. Con ese fin en mente, los entrenamientos deben ser guiados por los entrenadores, nunca dirigidos por ellos. Podemos conseguir esto ofreciendo a los jugadores sesiones orientadas hacia el juego, ejercicios que los instan constantemente a tomar la iniciativa y a tomar decisiones y entrenamientos que en última instancia animan a los jugadores a asumir la responsabilidad de su éxito. Los juegos contenidos en este libro le ayudarán a crear tal atmósfera de entrenamiento y, al mismo tiempo, proporcionarán, tanto a entrenadores como a jugadores, una divertida y memorable experiencia.

Introducción: Hacer que los juegos de entrenamiento funcionen

Planificar una sesión que estimule a los jugadores a alcanzar un mayor nivel de rendimiento, diseñar un entrenamiento que les motive a trabajar duramente, a mejorar su juego y que al término del mismo los jugadores tengan ganas de más, es una responsabilidad fundamental del entrenador de fútbol. Los jugadores de cualquier edad y nivel de habilidad desean estar entusiasmados, animados y activos mientras aprenden a jugar. La mayoría no responde bien a largas conferencias teóricas, a estar de pie en filas... o a cualquier cosa que huela a aburrimiento. Especialmente los futbolistas jóvenes obtienen los mayores beneficios de las sesiones que son motivadoras y divertidas; de los entrenamientos que están orientados hacia la actividad; de los ejercicios en los que están en constante movimiento, tocando el balón y marcando goles. Esta tercera edición de *175 juegos y ejercicios de fútbol* le ayudará como entrenador a alcanzar este objetivo.

El libro contiene 175 juegos y ejercicios similares a momentos que se producen en los partidos que podrá utilizar para crear un entorno de entrenamiento rico y variado. Los juegos descritos en cada capítulo se centran en dominar las habilidades y tácticas necesarias para convertirse en un futbolista más completo. Los jugadores son colocados en situaciones controladas y competitivas que ofrecen a todos los participantes la oportunidad de realizarlas con éxito. Los juegos son especialmente útiles para jugadores principiantes e intermedios y pueden adaptarse fácilmente ajustándose a entrenamientos más tradicionales con jugadores mayores y más experimentados.

El libro contiene nueve capítulos, cada uno dedicado a un tema específico. El capítulo 1 explica cómo utilizar de la mejor forma el material presentado en el libro para organizar buenas sesiones de entrenamiento. El capítulo 2 describe una variedad de juegos que prepararán física y mentalmente a los jugadores para competir en los entrenamientos y en los partidos. Los capítulos del 3 al 9 presentan juegos que tratan técnicas o conceptos tácticos específicos (como son la conducción y la protección del balón, el pase y la recepción). Aunque los juegos aparecen categorizados en función de su objetivo principal, en último término hacen hincapié en dos o más elementos esenciales del fútbol. Por ejemplo, todos los juegos individuales y en pequeños grupos del capítulo 7 requieren que los jugadores ensayen conceptos tácticos al tiempo que conducen, pasan o reciben el balón a medida que se desplazan por el campo de juego. En algunos casos han de enfrentarse a rivales competitivos. Como resultado, en un único ejercicio los jugadores obtienen beneficios físicos, técnicos y tácticos. En la medida de lo posible, los juegos incluidos en cada capítulo tienen una cierta estructura progresiva de complejidad creciente. Este orden le ayudará a seleccionar los juegos más apropiados para los jugadores jóvenes. Presente en primer lugar los ejercicios más básicos a los jugadores novatos para que no se sientan abrumados y puedan alcanzar un cierto grado de éxito. A medida que los jugadores mejoran en confianza y competencia, podrá progresar hacia situaciones física y mentalmente más exigentes. Los jugadores experimentados obtendrán mayores beneficios de los juegos que les exigen ejercitarse bajo circunstancias que afrontarán realmente en situaciones de partido, presiones de juego que incluyen un tiempo y un espacio limitados, el cansancio físico y unos rivales desafiantes.

Cada juego está clasificado como básico, intermedio o avanzado en función de su nivel de dificultad percibida. Los juegos básicos se centran principalmente en el desarrollo de habilidades técnicas. Estos ejercicios son competitivos y divertidos de realizar, presentan a los jugadores las presiones "similares a las de partido" de espacio restringido y tiempo limitado e incluyen la repetición de la habilidad específica junto al movimiento del jugador con y sin balón. Los juegos intermedios también requieren a los jugadores la ejecución de habilidades en condiciones similares a las de partido, pero asocian dicho aspecto de la actuación con tácticas de juego individual y colectivo. Estos juegos se caracterizan por un mayor énfasis en la velocidad de repetición y en la velocidad de juego. La presión que ejercen los rivales también se encuentra en algunos de estos ejercicios, pero únicamente hasta cierto límite. Los juegos avanzados se centran principalmente en el desarrollo táctico a nivel de grupo y de equipo. Los jugadores deben ya atesorar un dominio fundamental de todas las habilidades futbolísticas para obtener el mayor beneficio de estos ejercicios. Por tanto, estos ejercicios no son apropiados para jugadores de nivel básico e intermedio. Los juegos de esta categoría normalmente se realizan en condiciones de partido con el fin de que los jugadores se expongan a las presiones reales que afrontarán en el nivel de competición. Estas presiones incluyen mayores exigencias físicas, tiempo y espacio reducidos en los que ejecutar las habilidades técnicas y tomar decisiones tácticas y la rotunda oposición de rivales que compiten por la posesión del balón. Hay que tener en cuenta que la categorización de los juegos es en cierta medida subjetiva; la mayoría de los juegos son extremadamente versátiles y, con unos retoques menores, pueden adaptarse ajustándose a la edad y al nivel de habilidad de los participantes. Por ejemplo, es posible transformar un juego básico en otro más exigente para sus jugadores haciendo lo siguiente:

- Imponer restricciones sobre los jugadores: por ejemplo, exigir que haya únicamente pases al primer o al segundo toque o fijar un único tipo de pase.
- Cambiar el tamaño del área de juego (reducir el área aumenta el grado de dificultad, ya que los jugadores deben realizar las mismas habilidades en un espacio y un tiempo menores).
- Aumentar las demandas físicas del juego exigiendo que los jugadores corran y se desplacen más.
- Incorporar aspectos técnicos y tácticos en el mismo ejercicio; por ejemplo, pedir a los jugadores que elijan la mejor de entre varias opciones cuando decidan cuándo y hacia dónde pasar el balón.
- Incluir el máximo desafío: la presión ejercida por rivales competitivos que pugnan por la posesión del balón.

Lo mejor de todo es que, aunque el ejercicio esté adaptado para poner a prueba al principiante o para estimular al jugador avanzado, conserva la funcionalidad y un ritmo elevado para todos los participantes. Cada juego está estructurado en un formato fácil de comprender, tal y como se describe a continuación:

Título. En la mayoría de los casos, pero no en todos, el título ofrece una idea genérica de lo que trata y destaca el ejercicio. Por ejemplo, "regates en el laberinto y gol" requiere que los jugadores regateen superando obstáculos antes de disparar a puerta. Por el contrario, algunos títulos no son tan evidentes y es necesario mirar otros apartados, como objetivos, en busca de más información sobre la utilidad del juego.

Grado de dificultad. Los niveles básico, intermedio y avanzado están representados mediante balones de fútbol. Los juegos de nivel básico aparecen señalizados con un solo balón de fútbol, los de nivel intermedio tienen dos balones y los de nivel avanzado muestran tres balones.

Minutos. En cada juego aparece una duración estimada. Únicamente se ofrece como guía general y debe ajustarse en función de la edad, nivel de habilidad y madurez física de los jugadores participantes. La duración de un juego queda finalmente al juicio del entrenador, porque este conoce mejor que nadie las necesidades y habilidades de sus jugadores.

Jugadores. Algunos juegos requieren un número específico de jugadores, mientras que otros no. Por ejemplo, "tirar la pared" requiere a tres jugadores porque el objetivo principal está en la situación de dos contra uno. Otros ejercicios, como "grupo encadenado" o "unir los puntos" pueden incluir un número diverso de jugadores. Cuando vaya a decidir el número de jugadores que participan en un juego, tenga presente que todos ellos han de estar en acción durante la actividad y en contacto con el balón el mayor tiempo posible. Cuando participan demasiados jugadores o hay muy pocos balones disponibles, el juego no alcanzará sus objetivos.

Objetivos. La mayoría de los ejercicios tienen un objetivo principal y dos o más objetivos secundarios estrechamente relacionados. Por ejemplo, la intención principal del juego "entrar a todos los balones" es desarrollar las habilidades de regate empleadas en la posesión y protección del balón en espacios reducidos. Los objetivos secundarios incluyen el desarrollo de las habilidades de protección y robo del balón, así como la mejora del estado de forma. Utilizar juegos que persiguen más de un objetivo maximiza el aprovechamiento de un tiempo de entrenamiento limitado y se conoce habitualmente como *economía del entrenamiento*.

Usted ha de considerar el objetivo principal de un juego para determinar si encaja con el tema general de una sesión específica de entrenamiento. Por ejemplo, si el tema central de una sesión de entrenamiento es la mejora de las habilidades de pase y recepción del balón, los juegos seleccionados para esta sesión deberían cumplir con dicho criterio.

Organización. Las dimensiones del campo de juego, el equipamiento y otras necesidades específicas quedan recogidas bajo este encabezamiento. Balones, conos, banderas y petos de colores son algunos de los artículos de entrenamiento más habituales. Las dimensiones del campo son ofrecidas como recomendación aproximada y los entrenadores pueden hacer pequeñas modificaciones en función de la edad, número y nivel de habilidad de los jugadores.

Desarrollo. Este apartado del ejercicio contiene una descripción de cómo realizar el juego. En algunos casos, los entrenadores pueden servir el balón o llevar el marcador mientras observan la acción, pero no siempre es necesario. La mayoría de los juegos están diseñados para que sean los propios jugadores quienes usen su iniciativa y su habilidad de toma de decisiones para organizar la acción y empezar a jugar.

Forma de puntuación. En los casos apropiados se proporciona un sistema de anotación para añadir al juego el elemento competitivo. Sin embargo, es necesario comprender claramente que el objetivo final de cada juego es que los jugadores se pongan a prueba a sí mismos para lograr un mayor nivel de rendimiento. La mejora es el verdadero indicador de éxito y no quién gana o pierde el juego.

Consejos prácticos. Estas sugerencias le ayudan a organizar los juegos de la forma más eficiente y efectiva. La mayoría tratan de posibles ajustes en cuanto al tamaño del campo de juego o con las restricciones impuestas a los jugadores (por ejemplo, pase al primer o al segundo toque). También se mencionan aspectos relacionados con la seguridad y con la responsabilidad cuando se considera apropiado.

Como entrenador, usted es el último responsable de la creación de un entorno de aprendizaje que sea estimulante para sus jugadores. Los juegos que aparecen a continuación están pensados para ayudarle en la consecución de este objetivo. Cada juego puede, con variaciones sutiles, adaptarse a la madurez física y mental de los jugadores a su cargo. Los jugadores tendrán el reto de mejorar su rendimiento y en el proceso pasarán un buen rato... al igual que usted.

Clave para los diagramas de campo

- - - - →	Trayectoria del balón
∿→	Conducción/desplazamiento del jugador con balón
⟶	Trayectoria del jugador
⟶►►►	Tiro a puerta
⚑	Bandera
△	Cono
⊛	Balón

Capítulo 1

Planificación de las sesiones de entrenamiento

U na de sus mayores responsabilidades como entrenador es tener en cuenta las capacidades de los jugadores que están a su cargo para posteriormente planificar un programa de entrenamiento apropiado. Los jóvenes no son adultos en miniatura, por lo que una sesión de entrenamiento adecuada para un equipo universitario puede ser totalmente inapropiada para jugadores de 10 años o menos. Evalúe el nivel técnico de sus jugadores (¡si tuvieran alguno!), el conocimiento táctico, el estado de forma y el grado de madurez física y desarrolle un entrenamiento que haga que todos los jugadores estén activos e implicados. Las actividades no han de tener una dificultad física o técnica demasiado elevada que impida su realización, sino que deberían exigir a los jugadores el esfuerzo para alcanzar un nivel de ejecución más alto. Este es el arte de entrenar: planificar una buena sesión de entrenamiento ajustada a los puntos fuertes y débiles de un grupo específico.

Las siguientes reglas generales se aplican a jugadores de todas las edades y niveles de habilidad y le ayudarán a planificar las sesiones de entrenamiento. Se trata únicamente de sugerencias que deben ser adaptadas para ajustarse a las necesidades específicas de los jugadores individuales y de los equipos.

Crear una atmósfera de aprendizaje positiva. Independientemente de que esté iniciando en el fútbol a un grupo de jóvenes o intentando depurar un grupo de profesionales canosos, una sesión aburrida equivale a un mal entorno de aprendizaje. Al igual que las sesiones deben ser exigentes, organizadas y bien orientadas, también deben ofrecer una experiencia divertida tanto para jugadores como para entrenadores. Mantenga a los jugadores activos, implicados, tocando el balón y marcando goles. Mediante una planificación meticulosa e ideas creativas podrá organizar sesiones de entrenamiento estimulantes y motivadoras que garanticen el cumplimiento de sus objetivos concretos de aprendizaje.

Desarrollar un tema. No intente tratar demasiados aspectos en una única sesión de entrenamiento, en especial con los jugadores más jóvenes. Planifique cada sesión en torno a un tema central. Por ejemplo, el propósito primario de una sesión de entrenamiento podría ser mejorar las habilidades de pase y recepción del balón o crear oportunidades de gol con regates creativos. Organice la sesión en torno a diversos ejercicios y practique juegos relacionados con el tema central.

Tener en cuenta la edad futbolística de los jugadores. La "edad futbolística" de un jugador hace referencia al nivel de competencia. En muchos casos la edad futbolística de un jugador puede diferir significativamente de su edad cronológica. Los jugadores principiantes que nunca han tocado un balón están evolutivamente por detrás de los jugadores de la misma edad que llevan jugando al fútbol durante años. Resumiendo, el jugador experimentado tiene una mayor edad futbolística. Los jugadores principiantes pueden encontrar dificultades para ejecutar incluso las habilidades más básicas, por lo que usted no debería enfrentarlos a situaciones en las que tengan pocas o ninguna oportunidad de alcanzar un cierto nivel de éxito. Su objetivo consiste en planificar un entrenamiento realista, uno que ponga a prueba a los jugadores, pero que también esté dentro de sus posibilidades físicas y mentales. Tenga en cuenta las capacidades técnicas de los jugadores (esto es, sus habilidades), su madurez física y el grado de desarrollo evolutivo y luego cree una sesión apropiada para dicho grupo específico.

Ni filas ni conferencias. Cuantas más veces un jugador pasa, recibe, dispara, cabecea o regatea, mayor es la probabilidad de que disfrute el entrenamiento y, al mismo tiempo, mejore su nivel de habilidad. Inversamente, estar de pie en largas filas mientras escucha las palabras del entrenador y espera la infrecuente oportunidad de tocar el balón no constituye una buena sesión de entrenamiento. Asegúrese de que los jugadores tengan a su disposición numerosos balones, siendo lo ideal uno por jugador. Contar con un abundante suministro de balones le permite muchas más opciones de actividades y juegos de entrenamiento y hace que la sesión sea más divertida para los jugadores, ya que están constantemente en movimiento y tocando el balón. La forma más sencilla de garantizar un número suficiente de balones consiste en pedir a cada jugador que lleve un balón al entrenamiento. Del mismo modo que los jugadores de béisbol llevan su guante al campo, los jugadores de fútbol deberían llevar un balón.

Lograr que sean simples. Gran parte de la belleza inherente al fútbol reside en el hecho de que es básicamente un deporte sencillo. ¡Manténgalo así! Los ejercicios complicados y las sesiones altamente intrincadas solo servirán para confundir y frustrar a los jugadores en lugar de para motivarlos. Cuando planifique las sesiones, tenga en cuenta el principio de entrenamiento SER: "¡Simple es rentable!". Este principio se aplica al entrenamiento de todos los grupos de edad y niveles de habilidad.

Enseñar dentro de una progresión. Planificar un entrenamiento efectivo requiere mucha más reflexión que limitarse a seleccionar un puñado de actividades inconexas y emplearlas aleatoriamente durante la sesión de entrenamiento. Cada juego de entrenamiento debería sentar las bases para los siguientes. Iniciar la sesión con actividades básicas y progresar hacia situaciones más similares a las de partido. Por ejemplo, la sesión puede comenzar con juegos de pases sencillos que requieran un mínimo movimiento de los jugadores y progresar gradualmente hacia ejercicios en los que los jugadores deben pasar y recibir el balón mientras se mueven a velocidad de partido ante la presión de los rivales. El punto de partida en la progresión depende del nivel técnico y experiencia de los jugadores. Los jugadores de alto nivel comenzarán naturalmente con ejercicios más exigentes que los jugadores principiantes. Sin embargo, en ambos casos, hay que organizar la secuencia de ejercicios de modo que cada uno actúa como introducción para el siguiente. Cada actividad debería estar relacionada con el tema central de la sesión de entrenamiento.

Lograr que estén centradas en el jugador. Las sesiones de entrenamiento deben estar centradas en el jugador, no en el entrenador. Presente el tema, realice demostraciones breves y explicaciones simples y haga que los jugadores se impliquen activamente lo antes posible. Evite que la inactividad se prolongue, cuanto menos tiempo estén los jugadores sentados o de pie, mejor será la sesión. Puede detener la acción en momentos oportunos para destacar elementos del entrenamiento o para aportar información apropiada y específica.

Garantizar un entorno de entrenamiento seguro. El fútbol es un deporte de contacto y como tal, implica cierto grado de riesgo físico. En ocasiones se producen golpes, encontronazos y moratones accidentales. Para minimizar las lesiones, haga todos los esfuerzos posibles para ofrecer a los jugadores un entorno de entrenamiento y de juego seguro. Esto implica supervisar y planificar, emparejar a los jugadores por tamaños y capacidades similares y establecer pautas de conducta apropiada.

Los jugadores deben llevar el equipamiento apropiado durante los entrenamientos y partidos. Tanto los jugadores de campo como los porteros deben utilizar espinilleras para evitar las lesiones en la parte inferior de las piernas. La mayoría de las espinilleras son de plástico ligero y flexible y relativamente baratas. Los porteros deben utilizar equipamiento específico de su puesto. Es recomendable utilizar pantalones (cortos o largos) acolchados, especialmente cuando se entrena o se juega en superficies naturales duras o en campos de césped artificial. Tanto los pantalones cortos como los largos están almohadillados en la zona de las caderas. Los guantes también son un elemento importante del equipamiento de los porteros. Los porteros jóvenes deberían utilizar gorros acolchados cuando jueguen al fútbol sala para minimizar la incidencia de lesiones en la cabeza.

Tenga especial cuidado a la hora de elegir y asegurar las porterías. A pesar de su elevado peso, las porterías portátiles (2,5 m de alto y 7,5 m de ancho) pueden volcarse si no están ancladas adecuadamente, en especial cuando hay fuerte viento o cuando los jugadores se cuelgan del larguero. Se recomienda utilizar porterías sólidas adecuadamente construidas, aunque son caras. Si el precio es un problema, y lo es para la mayoría de nosotros, puede utilizar conos, banderas u otro tipo de señalización para delimitar la portería. Muchas porterías de tamaño infantil pueden ser ancladas de forma segura colocando sacos de tierra en los puntos apropiados.

Practicar la economía de entrenamiento. Muchos entrenadores solo tienen una o dos sesiones de entrenamiento a la semana con su equipo, aparte del partido, por lo que es difícil tratar todo lo que se desearía en dicho espacio de tiempo. Para conseguir un uso más efectivo del tiempo de entrenamiento limitado, debería incorporar, siempre que sea posible, los elementos de acondicionamiento físico, habilidades técnicas y tácticas en cada actividad. Hacia el final, intente incluir un balón en cada ejercicio, incluso en aquellos diseñados principalmente para mejorar la preparación física. Independientemente de la duración de la sesión de entrenamiento, asegúrese de emplear bien el tiempo. La calidad del entrenamiento es mucho más importante que la cantidad de entrenamiento.

Terminar con un partido. Por encima de cualquier cosa, los jugadores de fútbol quieren jugar al fútbol. Recompense su duro esfuerzo finalizando cada sesión de entrenamiento con un partido o con una simulación de partido. No es necesario que sea un partido ortodoxo (11 contra 11). En realidad, los partidos con menos jugadores (desde 3 contra 3 hasta 6 contra 6) son más beneficiosos en muchos aspectos. Jugar con menos jugadores por equipo permite a los jugadores más oportunidades de pasar, recibir, regatear y disparar a puerta. Los partidillos con menos jugadores también requieren que los jugadores tomen más decisiones, ya que virtualmente participan en todas las jugadas, una situación que fomenta el desarrollo táctico. También se reduce enormemente el énfasis en el juego posicional, ya que cada jugador debe atacar y defender, situación que fomenta el desarrollo total del jugador. Por último, pero no por ello menos importante, se aumenta enormemente el número de oportunidades de marcar gol y esto hace que el entrenamiento sea más divertido para todos los participantes. Tenga presente que cometer errores y aprender de los errores son partes importantes del proceso de aprendizaje, por lo que los jugadores deben ser alentados a correr riesgos y a experimentar con lo que funciona y lo que no. Durante los partidos siempre puede detener brevemente el juego y corregir errores en los momentos oportunos.

Evaluar la sesión. Al final de cada sesión de entrenamiento, es una buena idea reflexionar sobre cómo han ido las cosas durante dicha sesión. ¿Los jugadores se han divertido? ¿La sesión ha sido muy larga y los jugadores han perdido el interés? ¿Ha sido demasiado corta y todos querían más? ¿Cada jugador ha tenido suficiente contacto con el balón? ¿Han tenido todos los jugadores la oportunidad de jugar tanto en defensa como en ataque? ¿Han tenido todos los jugadores oportunidades repetidas de subir al ataque? Responder estas y similares preguntas le permitirá ajustar consecuentemente sus sesiones para crear el mejor entorno de aprendizaje posible para el desarrollo de los jugadores.

Capítulo 2

Juegos de calentamiento y preparación física

Un calentamiento exhaustivo realizado antes de cada entrenamiento y partido prepara a los jugadores para la actividad vigorosa que les espera. Las actividades de calentamiento elevan la temperatura de los músculos y aumentan la flexibilidad, favorecen el aumento del flujo sanguíneo y el suministro de oxígeno, mejoran la contracción muscular y el tiempo de reacción y minimizan los agarrotamientos y dolores musculares el día posterior. La duración del calentamiento puede variar de una sesión de entrenamiento a la siguiente y de un equipo a otro, en función de las necesidades individuales. Generalmente, el calentamiento deberá tener una duración y una intensidad suficientes para inducir la sudoración, un indicador de que la temperatura muscular ha aumentado. Esto puede llevar desde 15 a 30 minutos, dependiendo de la temperatura ambiental, la humedad y las condiciones ambientales generales. Obviamente, los jugadores no tendrán que calentar el mismo tiempo y con la misma intensidad un día caluroso y seco de verano que una tarde fría y húmeda de invierno.

Cualquier forma de actividad que implique la acción repetida de grupos musculares grandes puede utilizarse en los calentamientos. Los ejercicios tradicionales incluyen una variedad de estiramientos unidos a viejos clásicos como saltos en tijera, los abdominales, los fondos de brazos y las flexiones de rodillas. Este tipo de calentamiento normalmente se denomina calentamiento general, ya que no implica ningún movimiento específico del fútbol como pasar, conducir o tirar a puerta. Pese a que no hay nada esencialmente erróneo en el calentamiento general, la mayoría de los jugadores prefieren realizar un calentamiento específico de fútbol, que es más apropiado tanto desde el punto de vista mental como desde el físico. Un calentamiento específico de fútbol puede incluir actividades relacionadas con aspectos técnicos que incluyan habilidades como la de pase y conducción o también puede adoptar la forma de juegos que hagan hincapié en los movimientos, movilidad y agilidad que los jugadores deben realizar en un partido de fútbol. Los juegos descritos en este capítulo aportan variedad y diversión al calentamiento del equipo al tiempo que logran el objetivo principal de preparar a los jugadores para el enérgico entrenamiento que tienen por delante. Muchos de los juegos y ejercicios (aunque no todos) requieren que los jugadores pasen o conduzcan con uno o más balones de fútbol, por lo que el desarrollo de habilidades es un beneficio añadido en estas actividades.

Hasta cierto punto también es posible mantener la preparación física, y mejorarla en algunos casos, con muchos de los juegos descritos en este capítulo. Por ejemplo, los juegos de "tú la llevas" pueden mejorar la resistencia tanto aeróbica como la anaeróbica al tiempo que desarrollan otros componentes específicos de la forma física necesarios para el fútbol como son la agilidad, la movilidad y el equilibrio. Otros juegos se centran más en la fortaleza muscular, la velocidad y la potencia. Los jugadores pueden mejorar la velocidad específica del fútbol realizando ejercicios que requieran bruscos cambios de ritmo y de dirección junto con movimientos corporales de engaño y fintas. La velocidad, el equilibrio y la habilidad de cambiar repentinamente de dirección son tan importantes para un jugador de fútbol como la pura velocidad de *sprint*.

Minutos: 10

Jugadores: Número ilimitado

Objetivos: Mejorar la movilidad y la agilidad; mejorar la comunicación; desarrollar la resistencia.

Organización: Utilizar conos chinos para señalizar un cuadrado de 25 m de lado. Elegir dos jugadores que "la llevan" y se sitúan fuera del cuadrado. El resto de jugadores libres se sitúan dentro del cuadrado.

Desarrollo: Los jugadores "que la llevan" entran en el área designada para perseguir y tocar a los jugadores libres. Estos pueden moverse por todo el cuadrado para evitar ser pillados. El jugador libre que es tocado debe unirse por las manos al jugador que lo ha pillado para formar una cadena. Cuantos más jugadores libres sean pillados, mayor es el tamaño de la cadena. Solo se permiten dos cadenas de forma simultánea (las cadenas originales no pueden dividirse en cadenas más pequeñas). Las cadenas pueden trabajar en equipo para arrinconar o atrapar a los jugadores libres. Continuar hasta que solo queden dos jugadores libres. El juego se repite con estos dos últimos jugadores "que la llevan" en la siguiente ronda.

Forma de puntuación: Los dos últimos jugadores libres ganan el juego.

Consejos prácticos: Variar el tamaño del área o el número de cadenas permitidas al mismo tiempo en función del número de jugadores. Los jugadores libres deben realizar cambios de ritmo y de dirección repentinos al tiempo que fintan con el cuerpo para evitar ser pillados.

2) Liebres y sabuesos

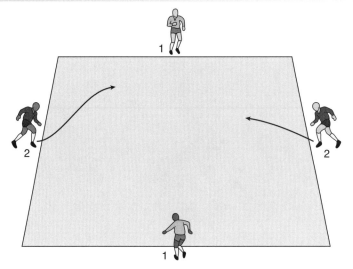

Minutos: 10

Jugadores: Número ilimitado, organizados en grupos de 4 (2 liebres, 2 sabuesos)

Objetivos: Desarrollar la movilidad, la agilidad y las fintas con el cuerpo; mejorar la capacidad aeróbica.

Organización: Cada grupo juega dentro de un cuadrado de 15 m de lado. Los jugadores se agrupan en parejas y se asigna un número a cada pareja (1 y 2). Un jugador de cada grupo se sitúa en cada línea lateral del cuadrado con el compañero situado en la línea lateral opuesta. Un compañero es designado sabueso y el otro es la liebre para comenzar el juego. No se necesitan balones.

Desarrollo: Comenzar el juego nombrando un número, por ejemplo el 1. Los jugadores con el número 1 entran inmediatamente en el cuadrado y el sabueso comienza a perseguir a la liebre para cazarla (pillarla). Si la liebre es pillada, los jugadores invierten inmediatamente los papeles. Jugar de forma continua durante 60 segundos y luego la segunda pareja entra en el cuadrado para jugar mientras la primera pareja de liebre y sabueso vuelven a sus posiciones originales en el perímetro y descansan.

Forma de puntuación: Ninguna.

Consejos prácticos: Se trata de un juego físicamente exigente cuando se lleva a cabo con máxima intensidad. La liebre debería realizar rápidos cambios de dirección y de ritmo para eludir al sabueso. Es posible aumentar la exigencia del juego alargando la duración de cada ronda o aumentando el tamaño del cuadrado. Como variación, es posible que dos o tres parejas entren en el cuadrado al mismo tiempo.

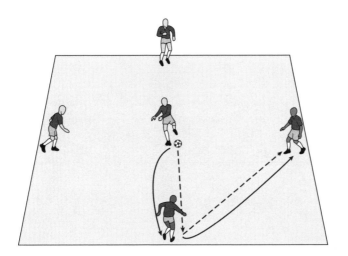

Minutos: 10

Jugadores: 5

Objetivos: Desarrollar la habilidad de recibir el balón y pasarlo con solo dos toques; mejorar la velocidad punta de *sprint*.

Organización: Utilizar conos chinos para señalizar un cuadrado de 20 m de lado. Un jugador se sitúa en el punto medio de cada línea lateral. El quinto jugador se ubica en el centro del cuadrado con el balón.

Desarrollo: Para comenzar, el jugador central pasa el balón a uno de los jugadores en las líneas laterales y esprinta hacia dicho lugar. El jugador de la línea de banda recibe y prepara el balón con el primer toque, pasa a otro jugador con el segundo toque y esprinta hacia ese punto. Los jugadores continúan pasando y siguiendo el pase a máxima velocidad.

Forma de puntuación: Ninguna.

Consejos prácticos: Hacer hincapié en un buen primer toque; el balón debe ser controlado y preparado con el primer toque y luego pasado a un compañero con el segundo. Animar a los jugadores a que esprinten a plena velocidad tras el pase, tal y como lo harían en situación de partido.

Minutos: De 15 a 20 minutos.

Jugadores: Número ilimitado (es preferible 15 o más)

Objetivos: Mejorar la conducción, el regate, el pase, la agilidad y la movilidad; fomentar el trabajo en equipo.

Organización: Señalizar como área de juego un cuadrado de al menos 45 m de lado. Dividir el grupo en tres equipos de igual número de miembros. Emplear conos o discos para marcar un cuadrado de 15 m de lado como casa para cada equipo; la casa de cada equipo está situada en una zona distinta del campo. Todos los jugadores, cada uno con un balón, comienzan situados dentro de su casa. Además, cada equipo elige a uno de sus componentes como el doctor del equipo. El doctor del equipo también está situado dentro de la casa, pero no tiene balón.

Desarrollo: Tras la indicación que da inicio al juego, todos los jugadores salvo los doctores abandonan inmediatamente su casa para conducir el balón hacia jugadores de los otros equipos. El objetivo de los que conducen es golpear con el balón a los rivales por debajo de la rodilla. El jugador que recibe el impacto de un balón pasado por un rival queda congelado y debe arrodillarse inmediatamente. Los jugadores congelados solo pueden ser rescatados por el doctor de su equipo, que debe abandonar la casa para tocar a los compañeros congelados. Cuando el doctor los ha tocado, los jugadores congelados son curados y pueden volver a conducir hacia los rivales. El doctor del equipo queda a salvo cuando está dentro de su casa, pero está a descubierto cuando está fuera. Si el doctor es golpeado por un balón cuando está intentando descongelar a sus compañeros, queda permanentemente congelado y a partir de ese momento los jugadores de ese equipo que quedan congelados no pueden ser rescatados. Disputar series de juegos de 5 minutos.

Forma de puntuación: Gana el equipo que tenga el menor número de jugadores congelados al final de la ronda. Jugar varias rondas; el equipo que gane más rondas, gana el juego.

Consejos prácticos: Reducir el tamaño del área para que sea más fácil dar en el blanco.

Minutos: 10

Jugadores: Número ilimitado

Objetivos: Desarrollar las técnicas de conducción; fomentar la competitividad.

Organización: Jugar dentro de las áreas de penalti. Cada jugador se coloca un peto de color en la parte trasera de sus pantalones. La mitad del peto, al menos, ha de estar colgando a la vista. Cada jugador tiene un balón.

Desarrollo: Los jugadores comienzan conduciendo yendo de un lado a otro dentro del área de penalti. El juego comienza tras la señal del entrenador. Los jugadores conducen hacia otros jugadores e intentan robarles el peto al tiempo que intentan evitar que les arrebaten el suyo propio. Los jugadores han de mantener el peto colocado en los pantalones mientras sostienen los petos robados en la mano y conducen por el área. Los jugadores han de tener el balón controlado en todo momento y no pueden dejarlo suelto para perseguir a otros jugadores. Jugar varias rondas.

Forma de puntuación: Gana el jugador que finalice con el mayor número de petos robados y que conserve su propio peto.

Consejos prácticos: A modo de variación, los jugadores han de ejecutar un tipo de regate concreto (como puede ser una bicicleta o una finta) tras robar el peto de un rival.

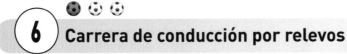

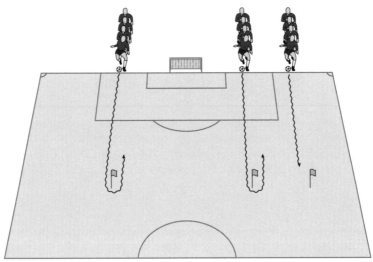

6 Carrera de conducción por relevos

Minutos: 10

Jugadores: Número ilimitado (equipos iguales de 4 a 6 jugadores)

Objetivos: Desarrollar la velocidad de conducción; mejorar la forma física.

Organización: Usar la línea de fondo del campo como línea de salida. Los jugadores de cada equipo forman una fila por detrás de la línea de fondo de modo que las filas de cada equipo están separadas al menos 3 m entre sí. Situar una bandera a una distancia de 20 m enfrente de cada equipo. El primer jugador en cada fila tiene un balón.

Desarrollo: Tras la indicación del entrenador, el primer jugador conduce el balón lo más rápido posible alrededor de la bandera señalizadora y regresa a la línea de salida donde pasa el balón al siguiente compañero de la fila. Este jugador conduce el balón hasta la bandera, gira y regresa a la posición inicial, dando el balón al siguiente jugador. Continuar hasta que todos los jugadores completen el circuito. Gana el equipo que finalice los relevos en el menor tiempo posible. Repetir 10 veces con un pequeño descanso entre cada carrera.

Forma de puntuación: El equipo ganador recibe 3 puntos, el segundo puesto obtiene 2 puntos y el tercero, 1 punto. Tras 10 competiciones, el equipo que tenga más puntos en total es el ganador.

Consejos prácticos: La técnica que un jugador emplea para conducir el balón en un espacio abierto difiere de la utilizada para mantener el control en espacios pequeños. Cuando se está en campo abierto, los jugadores han de llevar el balón varios pasos por delante tocándolo con el exterior del pie, esprintar para alcanzarlo y volver a empujarlo de nuevo. Cuando se acercan a la bandera, deben mantener el balón más cerca de los pies, ya que deben rodearla conduciendo en giro para recuperar rápidamente el modo de conducción en carrera a medida que avanzan hacia la línea de salida. Ajustar la distancia total recorrida para adaptarse a la edad y al estado de forma de los jugadores.

Minutos: 5

Jugadores: Número ilimitado

Objetivos: Mejorar la agilidad, la movilidad y la creatividad corriendo; generar entusiasmo y diversión.

Organización: Utilizar conos chinos para señalizar un cuadrado de juego de 35 m de lado. No se requiere el uso de balones.

Desarrollo: Todos los jugadores se sitúan dentro del área de juego. Se eligen dos parejas de gemelos que se agarran de la mano; el resto de jugadores (libres) no forman parejas. Tras la señal del entrenador, comienza el juego. Los gemelos procuran "pillar" a los jugadores. Un jugador libre que sea pillado pasa a unirse a la cadena de gemelos. Cuando la cadena crece y cuenta con cuatro jugadores, los gemelos originales abandonan la cadena y pasan a ser jugadores libres; los nuevos gemelos intentan perseguir y "pillar" a los jugadores libres para librarse a sí mismos.

Forma de puntuación: Ninguna.

Consejos prácticos: Para que el juego sea más difícil, los jugadores libres han de conducir balones al tiempo que intentan evitar ser pillados por los gemelos.

8 Regatear el acoso

Minutos: de 10 a 15

Jugadores: Número ilimitado

Objetivos: Desarrollar las habilidades de pase y regate; mejorar la movilidad, la agilidad y la preparación física.

Organización: Utilizar conos chinos para señalizar un área de 20 m de ancho por 35 m de largo con una zona de seguridad de 4 m de profundidad en cada extremo. En el centro del campo se sitúan tres tiradores, cada uno con un balón. Los jugadores restantes, cada uno con un balón, se ubican en la zona de seguridad de cara a los tiradores.

Desarrollo: Tras la señal, los jugadores en la zona de seguridad intentan conducir el balón a lo largo del campo hasta la zona de seguridad contraria. Los tiradores capturan a los dribladores si consiguen golpear el balón y que este impacte en la pierna por debajo de la rodilla. Todos los pases deben realizarse con el interior o el exterior del pie; no está permitido ejecutar disparos con la puntera. Cuando un driblador es alcanzado por debajo de la rodilla con un pase o pierde el control del balón y este sale de los límites del campo, se considera que ha sido capturado y se une a los tiradores en la siguiente ronda. Los dribladores que llegan a la zona de seguridad permanecen ahí hasta la señal de regreso a la zona de seguridad original. Los jugadores conducen el balón de una zona de seguridad a la otra hasta que hayan sido capturados todos menos tres. Estos jugadores son los tiradores del siguiente juego.

Forma de puntuación: Los últimos tres jugadores que evitan ser capturados son los ganadores.

Consejos prácticos: Ajustar el área para adaptarse a la edad, nivel técnico y número de jugadores. Indicar a los tiradores que conduzcan el balón hasta estar cerca de su diana antes de efectuar el pase.

Minutos: 3 por ronda (varias rondas)

Jugadores: Número ilimitado

Objetivos: Depurar las técnicas de regate y conducción del balón; mejorar la agilidad y la movilidad con el balón.

Organización: Utilizar conos chinos para señalizar un área de 20 m de ancho × 30 m de largo. Designar a dos jugadores como perseguidores que se colocan fuera del área y están sin balón. Los jugadores restantes (jugadores libres) se sitúan dentro del área de juego, cada uno con un balón.

Desarrollo: Los jugadores libres conducen el balón de forma aleatoria dentro del área de juego. Tras la señal del entrenador, los dos perseguidores entran en el área e intentan pillar a los jugadores libres, que deben seguir conduciendo el balón al tiempo que intentan escapar de los perseguidores. El jugador que es pillado queda congelado y ha de sentarse sobre el balón. Los jugadores libres pueden salvar a sus compañeros congelados acercándose con el balón en los pies y tocándoles el hombro. Continuar durante 3 minutos o hasta que todos los jugadores estén congelados, lo que ocurra antes. Repetir el juego varias veces con diferentes perseguidores en cada ronda.

Forma de puntuación: El perseguidor obtiene un punto por cada jugador que congele. El perseguidor que consiga más puntos gana la ronda.

Consejos prácticos: Se trata de un excelente ejercicio de conducción de balón y regate para jugadores de nivel básico. Ajustar el tamaño del área de juego para adaptarse a la edad y el número de los jugadores. Los jugadores de mayor edad necesitarán más espacio que los más jóvenes.

10 Ataque de tiburón

Minutos: 5

Jugadores: Número ilimitado (en parejas)

Objetivos: Desarrollar técnicas de regate y conducción de balón; mejorar la rapidez.

Organización: Utilizar conos chinos para señalizar una amplia zona de juego (el tamaño depende del número de jugadores que participen). Los jugadores forman pareja con un compañero; todas las parejas menos dos comienzan con un balón.

Desarrollo: Las parejas se agarran de la mano mientras conducen el balón de forma aleatoria dentro del área, pasándose el balón entre sí cada pocos segundos. Las dos parejas sin balón, los tiburones, también se agarran de la mano y corren dentro del área acercándose a las parejas y preparándose para robarles el balón. Tras la indicación de "Ataque de tiburón", cada una de las parejas con balón deja su balón e intenta apoderarse de otro. Inmediatamente, los tiburones se apropian de un balón libre y pasan a conducirlo por el área. Las dos parejas que se hayan quedado sin balón pasan a ser tiburones en la siguiente ronda.

Forma de puntuación: Ninguna.

Consejos prácticos: Indicar a los jugadores con balón que han de mantenerlo bajo control en todo momento y animarles a que se lo pasen entre sí intercambiando la posesión cada pocos segundos.

Minutos: de 10 a 15

Jugadores: de 12 a 16 (4 equipos del mismo tamaño)

Objetivos: Desarrollar las técnicas de regate y conducción de balón; mejorar la movilidad, agilidad y preparación física.

Organización: Utilizar conos chinos para señalizar un área de juego de 20 × 35 m. Los cuatro equipos se sitúan dentro del área y cada jugador tiene un balón. Un equipo es el que "la lleva". Emplear petos de colores para diferenciar a los cuatro equipos.

Desarrollo: Los jugadores del equipo "que la lleva" persiguen al resto de jugadores de los otros tres equipos. Todos los jugadores, incluidos los perseguidores, deben conducir el balón con los pies a medida que se desplazan por la zona de juego. Los jugadores "que la llevan" no pueden abandonar sus balones cuando intenten pillar a los rivales, sino que deben tener el balón bajo control en todo momento. Cualquier jugador que sea pillado sale del área y practica malabarismos. El juego finaliza cuando todos los rivales hayan sido eliminados o tras 4 minutos, lo que ocurra antes. Jugar cuatro rondas y en cada una cambia el equipo perseguidor.

Forma de puntuación: El equipo que elimine a todos sus rivales en el menor tiempo es el ganador de la competición.

Consejos prácticos: Se recomienda reducir las dimensiones del área con los jugadores más jóvenes.

(12) Lanzamiento al blanco

Minutos: De 10 a 15

Jugadores: De 12 a 20 (dos equipos del mismo tamaño de 6 a 10)

Objetivos: Mejorar la resistencia; ensayar los movimientos de apoyo necesarios para crear buenas combinaciones de pases.

Organización: Utilizar conos chinos para señalizar un área de 35 m de ancho × 45 m de largo. Dividir el grupo en dos equipos con el mismo número de jugadores. Emplear petos de colores para diferenciar los equipos. Ambos equipos se sitúan dentro del área de juego. Elegir un jugador de cada equipo como blanco y este lleva alguna prenda distintiva (sombrero, camisa o chaleco). Para comenzar, echar a suerte la primera posesión del balón.

Desarrollo: Los compañeros de equipo se pasan el balón lanzándolo (y cogiéndolo) con la mano, no con el pie. El objetivo es lanzar el balón y dar al blanco rival por debajo de la altura de las rodillas. El blanco puede moverse libremente por el área para evitar ser alcanzado. Un jugador puede dar tres o menos pasos con el balón antes de enviarlo a un compañero o lanzarlo al blanco. Los compañeros pueden proteger a su blanco desviando o deteniendo los lanzamientos del rival. El cambio de posesión se produce cuando un pase es interceptado por un miembro del equipo contrario, cuando el balón cae al suelo o un jugador da demasiados pasos con el balón en la mano. Los jugadores no pueden luchar para arrebatar el balón a un rival.

Forma de puntuación: Un equipo consigue un punto cada vez que un jugador lanza el balón y alcanza al blanco rival por debajo de la rodilla. Gana el equipo que obtenga más puntos.

Consejos prácticos: A modo de variación se puede jugar con dos balones a la vez. Fomentar los pases (lanzamientos) cortos y precisos con alta probabilidad de acierto. Los atacantes han de ajustar constantemente sus posiciones para ofrecer múltiples opciones de pase al compañero con el balón. Repetir el juego varias veces cambiando el jugador que hace de blanco.

Minutos: 12 (4 períodos de 3 minutos cada uno)

Jugadores: Número ilimitado (2 equipos del mismo tamaño)

Objetivos: Practicar los cambios de dirección repentinos durante la conducción del balón; mejorar la habilidad de regate y conducción en espacios reducidos; fomentar el espíritu competitivo.

Organización: Utilizar conos chinos para señalizar un área de 20 m de ancho × 25 m de largo. Los jugadores del equipo 1 se sitúan como blancos inmóviles en diversos puntos del área de juego con los pies separados y apoyados sobre el suelo. Los jugadores del equipo 2, cada uno con un balón, empiezan desde fuera del área.

Desarrollo: Tras la señal, los jugadores del equipo 2 conducen el balón hasta el interior del área e intentan meter (pasar) su balón entre las piernas del mayor número posible de jugadores del equipo rival durante un período de 3 minutos. La maniobra de colar el balón entre las piernas del rival se llama túnel o caño y en el fútbol de competición es lo más vergonzoso para un defensor. Los jugadores del equipo 1 deben permanecer inmóviles durante la ronda de 3 minutos. No es posible que el mismo jugador haga dos túneles seguidos al mismo oponente. En la segunda ronda, los equipos intercambian los papeles y continúan el ejercicio. Jugar al menos cuatro rondas.

Forma de puntuación: Los jugadores compiten sin hacer trampa para llevar la cuenta. Cada jugador cuenta el número de túneles que ha efectuado en el tiempo marcado. Los compañeros contabilizan el número total tras la ronda. El equipo con mayor número de caños después de cuatro rondas es el que gana.

Consejos prácticos: Ajustar el tamaño del área de juego para adaptarse al número de jugadores. Para evitar las colisiones, los jugadores inmóviles no deberían situarse demasiado cerca unos de otros.

14 Posesión de *pinball*

Minutos: 10

Jugadores: De 5 a 8 (1 defensor y el resto de jugadores son atacantes)

Objetivos: Desarrollar la habilidad de pasar al primer toque; mejorar la movilidad, la agilidad y el cambio de ritmo; calentar antes de pasar a ejercicios más exigentes.

Organización: Utilizar conos chinos para señalizar un círculo de aproximadamente 10 m de diámetro. Un jugador se sitúa como defensor dentro del círculo; el resto de jugadores se distribuyen uniformemente por el perímetro como atacantes. Para empezar, un atacante tiene el balón.

Desarrollo: Los atacantes intentan mantener el balón fuera del alcance del defensor pasándoselo entre ellos. Los atacantes pueden desplazarse lateralmente por el perímetro del círculo para recibir un pase, pero no pueden meterse dentro. Los atacantes solo pueden realizar pases al primer toque que atraviesen el círculo (de ahí el nombre, fútbol *pinball*) para seguir inmediatamente después la trayectoria del pase y ocupar ese otro punto del perímetro. Si el balón sale del círculo debido a un mal pase o si el defensor intercepta un pase, el balón regresa inmediatamente a un atacante y el juego continúa.

Forma de puntuación: Los atacantes reciben 1 punto por realizar 8 pases consecutivos sin perder la posesión. El defensor obtiene 1 punto por robar el balón y por cada vez que el balón salga del círculo. Jugar a 8 puntos y luego cambiar de defensor. Repetir hasta que todos los jugadores hayan ocupado el puesto de defensor.

Consejos prácticos: Para que el juego resulte más exigente a los jugadores avanzados se colocan dos defensores en el círculo. Para jugadores menos avanzados, aumentar el círculo y permitir pases al segundo toque.

Minutos: 3 por ronda (repetir varias veces)

Jugadores: De 11 a 20

Objetivos: Desarrollar las habilidades de conducción y regate; crear una atmósfera de entrenamiento divertida.

Organización: Utilizar conos chinos para señalizar un área rectangular de 20 × 30 m. Elegir a cuatro jugadores como cangrejos que comienzan dentro del área. Los cangrejos deben moverse al modo de los cangrejos (en posición sentada con las manos y los pies soportando el peso). El resto de jugadores comienza fuera del área, cada uno con un balón.

Desarrollo: Tras la señal, los jugadores fuera del área entran en ella conduciendo el balón entre los cangrejos. Los cangrejos gatean tras los jugadores e intentan golpear los balones sacándolos del área. Los cangrejos deben desplazarse siempre en la posición de cangrejo y no pueden emplear las manos para jugar la pelota. Los que conducen efectúan rápidos cambios de ritmo y de dirección, así como fintas con el cuerpo para sortear a los cangrejos. Estos pueden trabajar en equipo para reducir el espacio disponible y forzar el error. El jugador cuyo balón es enviado fuera del área se convierte en cangrejo de modo que el número de cangrejos aumenta a medida que el juego avanza. Continuar hasta que solo queden cuatro futbolistas con balón. Repetir el juego con esos cuatro jugadores como cangrejos.

Forma de puntuación: Los cangrejos reciben 1 punto por cada balón que envíen fuera del área. Gana el cangrejo con más puntos.

Consejos prácticos: Para que el juego sea más exigente, reducir el tamaño del área o aumentar el número de cangrejos. Los que conducen han de tener cuidado de no pisar las manos de los cangrejos.

16 Tiburones y peces

Minutos: De 10 a 15

Jugadores: Número ilimitado

Objetivos: Ensayar las habilidades de conducción, regate y entrada defensiva; mejorar la movilidad, la agilidad y la preparación física.

Organización: Utilizar conos chinos para señalizar un área de 20 m de ancho × 30 m de largo con una zona de seguridad de 2,5 m de ancho en cada extremo que abarque toda la anchura de la pista. Tres o cuatro jugadores son los tiburones y se sitúan, sin balones, en el centro del área de juego. El resto de jugadores (peces) comienzan a jugar en una de las zonas de seguridad, cada uno con un balón.

Desarrollo: Tras la señal, los peces intentan conducir el balón (nadar) a través de la longitud del área de juego hasta llegar a la zona de seguridad opuesta. Los tiburones intentar evitar que lo consigan pateando los balones de los peces fuera de la pista. El pez cuyo balón sea enviado fuera del área se convierte en tiburón en la siguiente ronda. Los peces que consigan alcanzar la zona de seguridad, permanecen ahí hasta que lleguen los peces restantes; en ese momento, el entrenador da la señal de regresar a la zona de seguridad original. Los peces continúan conduciendo el balón de una zona a otra según las indicaciones del entrenador. Continuar el juego hasta que solo queden tres peces. Estos tres jugadores serán los tiburones en el próximo juego.

Forma de puntuación: Ninguna.

Consejos prácticos: Reducir la anchura del campo para que el juego sea más complicado para los peces.

Minutos: De 10 a 15

Jugadores: De 12 a 20 (3 cazadores; el resto de jugadores son conejos)

Objetivos: Poner a punto las habilidades de pase y regate; mejorar la agilidad y la movilidad con balón.

Organización: Utilizar conos chinos para señalizar un área de 30 m de ancho × 40 m de largo. Designar a tres jugadores como cazadores que se sitúan fuera del área, cada uno con un balón. El resto de jugadores, los conejos, comienzan dentro del área sin balón. Fuera del área de juego se sitúa una provisión de balones, uno por conejo.

Desarrollo: Tras la señal del entrenador, los cazadores entran en el área conduciendo el balón y persiguen a los conejos para golpearlos con el balón por debajo de las rodillas. Los conejos pueden desplazarse a cualquier punto dentro del área para evitar ser alcanzados. Cualquier conejo que sea alcanzado por un balón por debajo de las rodillas recoge inmediatamente uno de los balones situados fuera del área y se une a la cacería. El juego continúa hasta que todos los conejos hayan sido eliminados. Repetir varias veces cambiando los jugadores que hacen de cazadores.

Forma de puntuación: Ninguna.

Consejos prácticos: Ajustar el tamaño del área para adaptarse a las distintas edades, habilidades y número de jugadores. Indicar a los cazadores que se acerquen a sus blancos antes de pasar el balón. Esto ayuda a desarrollar las habilidades de conducción y regate, así como aumenta la probabilidad de lograr un pase preciso. A modo de variación, pedir a los cazadores que empleen un tipo de pase específico (como por ejemplo solo pases con el interior) o que utilicen su pie no dominante para pasar el balón.

Minutos: 15

Jugadores: De 12 a 20 (2 equipos del mismo tamaño)

Objetivos: Simular el movimiento de apoyo realizado en situaciones reales de partido; mejorar la movilidad, la agilidad y la preparación física.

Organización: Utilizar conos chinos para crear un área de juego de 35 m de ancho × 55 m de largo con una pequeña portería ubicada en el centro de cada línea de fondo. Organizar dos equipos del mismo tamaño. Emplear petos de colores para diferenciar los equipos. Es necesario un balón por juego. No hay porteros.

Desarrollo: Cada equipo defiende una portería. Los jugadores se pasan el balón lanzándo-dolo (y cogiéndolo) con las manos en lugar de con los pies; en todo lo demás, se aplican las reglas del fútbol. Los jugadores pueden llegar a dar tres pasos con el balón antes de lanzárselo a un compañero o a portería (tiro a puerta). Los cambios de posesión se producen cuando el balón cae al suelo, un pase es interceptado o se marca gol. Los jugadores no pueden arrebatar el balón de las manos del rival. Dado que no hay porteros, todos los jugadores pueden emplear las manos para detener el tiro a puerta del rival.

Forma de puntuación: Se consigue marcar gol lanzando el balón dentro de la portería del rival. Gana el equipo que más goles marca.

Consejos prácticos: Animar a los jugadores a que ataquen como una unidad compacta, ocupando posiciones con el ángulo y la distancia de apoyo adecuadas en función del ju-gador con balón. Los jugadores más mayores pueden jugar con dos balones al mismo tiempo.

Minutos: De 5 a 10

Jugadores: Número ilimitado

Objetivos: Ensayar la maniobra de entrega del balón (cambio de la posesión) con un compañero; mejorar la preparación física.

Organización: Utilizar conos chinos para señalizar un área de 20 × 30 m. Todos los jugadores comienzan dentro del área, con un balón por cada dos jugadores.

Desarrollo: Tras la señal, todos los jugadores comienzan a moverse de forma aleatoria por el área de juego. Los que tienen balón lo conducen y regatean; aquellos sin balón corren a media velocidad. El objetivo del jugador con balón es intercambiar la posesión del balón con uno de los jugadores sin balón empleando la maniobra de entrega. Los jugadores siempre han de ejecutar la entrega con el mismo pie: si un jugador conduce el balón con su pie derecho, el compañero que pasa a tener la posesión lo hace con el pie derecho. Se aplica el mismo procedimiento cuando se trata del pie izquierdo.

Forma de puntuación: Los jugadores reciben 1 punto por cada entrega con un compañero. Realizar el mayor número de entregas posible en el tiempo permitido.

Consejos prácticos: Los compañeros se comunican entre sí mediante señales verbales o sutiles movimientos corporales. Cuando se ejecuta la entrega, el jugador con balón ha de conducirlo directamente hacia el compañero mientras lo controla con el pie más alejado de un defensor imaginario. En el momento en que se cruzan las trayectorias, han de ejecutar la maniobra de entrega e intercambian la posesión del balón. Para dificultar el juego, añadir al ejercicio uno o dos defensores pasivos.

Minutos: 10

Jugadores: Número ilimitado (en parejas)

Objetivos: Practicar las técnicas de conducción, regate y pase con un compañero con el fin de llevar el balón hasta la posición adecuada para pasarlo a través de una portería móvil.

Organización: Utilizar conos chinos para señalizar un cuadrado de juego de 25 m de lado. Cada jugador se empareja con un compañero. Una pareja es designada como la portería móvil; esta pareja no tiene balón y se mueve por el área de juego sosteniendo cada jugador el extremo de una cuerda de 3,5 m de longitud.

Desarrollo: La portería se mueve de forma continua y aleatoria por el área; en todo momento la cuerda ha de estar tensa y estirada, alcanzando su longitud de 3,5 m. El resto de parejas, cada una con un balón, intenta mover el balón conduciendo y pasándolo hasta lograr una posición desde la que puedan enviar el balón a través (por debajo) de la portería móvil.

Forma de puntuación: Cada pareja obtiene un punto por cada pase a través de la portería móvil. La primera pareja en alcanzar 5 puntos gana el juego. Repetir el juego con una pareja distinta en el papel de portería.

Consejos prácticos: Este juego puede ser muy difícil para jugadores muy jóvenes o con poca experiencia que no poseen los fundamentos de pase y recepción del balón. Para que el ejercicio resulte más sencillo a los jugadores más jóvenes y novatos, dos entrenadores o padres, en lugar de jugadores, sostienen una cuerda de 4,5 m de longitud para crear una portería más ancha.

Minutos: 10

Jugadores: 6 (1 blanco, 5 pasadores)

Objetivos: Mejorar las habilidades de pase y recepción del balón; mejorar la movilidad, la agilidad y la preparación física.

Organización: Señalizar un cuadrado de juego de 15 m de lado. Se requiere un balón; colocar algunos balones más fuera del área de juego en caso de que el balón salga fuera.

Desarrollo: Un jugador es elegido como blanco; este jugador lleva una camiseta o peto de color distintivo en su mano. El resto de jugadores juegan en equipo y hacen circular el balón a dos toques con pases al segundo toque e intentan dar al blanco con un golpeo por debajo de la rodilla. Los pasadores tienen la restricción de dos toques para pasar y recibir el balón mientras preparan el balón para tirar al blanco. Si el blanco es alcanzado por un balón, deja caer inmediatamente el peto de color y el jugador más cercano lo recoge y pasa a ser el blanco. El ejercicio prosigue durante 10 o más minutos.

Forma de puntuación: Ninguna.

Consejos prácticos: Añadir variaciones al juego, como por ejemplo pedir al pasador que utilice su pie débil para tirar al blanco o pedir al blanco que se desplace por el área dando saltos para evitar ser alcanzado por los pases.

Minutos: De 5 a 10 ininterrumpidos

Jugadores: De 16 a 20 (4 equipos del mismo tamaño más 2 cátchers)

Objetivos: Mejorar la preparación física; practicar las técnicas de conducción y regate; desarrollar la visión y conciencia del campo.

Organización: Utilizar conos chinos, para señalizar un cuadrado de juego de 25 m de lado. En cada esquina del campo se representa un cuadrado de 5 m de lado a modo de base. Dos jugadores son designados cátcher y se sitúan sin balón en el centro del cuadrado grande. Dividir a los otros jugadores en cuatro grupos de idéntico tamaño y cada grupo se ubica en uno de los cuatro cuadrados de las esquinas. Cada jugador tiene un balón.

Desarrollo: Tras la indicación de "Jugar el balón" comienza el juego. Los jugadores que están en una base (corredores de bases) deben conducir el balón hasta otra base antes de ser tocados por un cátcher. Si el corredor llega a otra base antes de ser tocado, estará a salvo, pero solo puede permanecer en dicha base durante cinco segundos o menos antes de intentar llegar a otra. El corredor que sea tocado por un cátcher inmediatamente se convierte en cátcher; el cátcher que lo ha tocado coge el balón y pasa a ser corredor. No puede haber en ningún momento más de cuatro corredores en una misma base, por lo que, si la base está llena, los otros corredores deben intentar llegar a otra base de forma segura.

Forma de puntuación: Ninguna.

Consejos prácticos: Para que el juego sea más difícil para los cátchers se puede indicar a los corredores que lleven un peto o una bandera colgando de la parte trasera del pantalón y pedir a los cátchers que agarren y tiren de la bandera o peto en lugar de limitarse a tocar al corredor.

Minutos: 10

Jugadores: Número ilimitado (2 equipos de igual tamaño)

Objetivos: Aprender a trabajar con los compañeros para mover el balón hasta situarlo en posición de pase para acertar en el blanco designado (coyote) del equipo rival.

Organización: Señalizar un área de juego de aproximadamente 25 × 25 m. Dividir el grupo en dos equipos con el mismo número de jugadores; elegir a un jugador en cada equipo como coyote. El coyote lleva puesto un peto distinto para diferenciarlo de sus compañeros. Se necesita un balón.

Desarrollo: Un equipo recibe la posesión del balón para comenzar el juego. Los compañeros conducen el balón y lo pasan entre sí para que este circule y llegue a una posición en la que un jugador pueda alcanzar al coyote rival. Los coyotes se mueven libremente por el área para intentar no ser alcanzados por el pase del rival. El cambio de posesión se produce cuando un jugador rival intercepta un pase o cuando el coyote ha sido alcanzado por un pase rival.

Forma de puntuación: Los equipos consiguen 1 punto cada vez que alcancen al coyote rival con un pase. El equipo que logra más puntos es el ganador.

Consejos prácticos: Animar a los jugadores a que muevan el balón rápidamente hasta conseguir la mejor posición para alcanzar al coyote rival. Subrayar la importancia de la precisión y de la potencia de los pases, así como del correcto posicionamiento de apoyo. Con los jugadores más experimentados poner dos balones en juego simultáneamente.

Minutos: de 10 a 15

Jugadores: Número ilimitado (3 equipos de igual tamaño)

Objetivos: Mover el balón rápidamente por el área por medio de pases entre compañeros; mejorar la movilidad, agilidad y preparación física.

Organización: Utilizar conos chinos para señalizar un cuadrado de juego de 30 m de lado. Dividir el grupo en tres equipos con el mismo número de jugadores. Cada equipo cuenta con un balón para comenzar.

Desarrollo: Un equipo es designado "equipo de cazadores" y se pasan el balón entre sí lanzándolo y cogiéndolo con las manos. Los dos equipos restantes solo emplean los pies para pasar y recibir el balón (el balón es su pez), intentando moverlo rápidamente para que los cazadores no puedan disparar a su pez con un lanzamiento de balón. Los jugadores de los tres equipos pueden pasar y recibir el balón solo de sus compañeros y no de jugadores de otro equipo. Los cazadores pueden dar tres pasos cuando tengan la posesión, después de los cuales han de soltar el balón (lanzándolo con la mano) a un compañero mientras intentan llegar a la mejor posición para disparar al pez. El equipo cuyo pez sea golpeado por el balón de los cazadores pasa inmediatamente a ser el equipo de cazadores.

Forma de puntuación: Los equipos son penalizados con 1 punto cada vez que su pez es alcanzado por un balón. El equipo que conceda el menor número de puntos gana la competición.

Consejos prácticos: Este juego requiere un grado de habilidad bastante alto porque los jugadores deben pasar y recibir el balón al tiempo que se desplazan por la pista a velocidad de partido. No es apropiado para jugadores principiantes o para jugadores que no cuentan con las adecuadas habilidades de pase y recepción de balón.

Capítulo 3

Juegos de conducción, regate, protección del balón y entradas defensivas

L a conducción del balón y el regate en el fútbol cumplen la misma función que el bote y el dribbling en baloncesto: permiten al jugador mantener la posesión del balón mientras corre superando a los rivales. Unas técnicas de conducción y de regate efectivas ejecutadas en las situaciones apropiadas pueden romper una defensa y son vitales para el ataque de un equipo. Por el contrario, el regate excesivo en zonas inapropiadas del campo o en situaciones inoportunas destruye el juego de equipo necesario para crear buenas oportunidades de gol. Es necesario enseñar a los jugadores a reconocer las situaciones en las que las técnicas de regate pueden ser utilizadas para obtener ventaja para luego reaccionar en consecuencia. En general, las técnicas de regate pueden ser empleadas con mayor efectividad en el tercio ofensivo del campo más cercano a la portería rival. Un jugador capaz de superar (regateando) a un rival en dicha área crea una posible oportunidad de gol, o al menos una situación que puede llevar a una oportunidad de gol. El regate debería ser limitado en los tercios central y defensivo del campo, áreas en las que la posible penalización (un gol concedido) ante la pérdida de la posesión es mayor que la posible recompensa de superar a un rival mediante el regate.

En situaciones de partido normalmente se observan dos estilos de regate generales. Los jugadores dan pasos cortos e irregulares con repentinos cambios de ritmo y de dirección cuando regatean y conducen el balón en espacios pequeños, en áreas en las que los rivales pugnan por la posesión del balón. Mantienen el balón cerca de los pies en todo momento. En estas situaciones, evitar a los rivales y proteger el balón son aspectos de suma importancia. A la inversa, cuando los jugadores conducen el balón en campo abierto, la protección del balón es menos importante que avanzar con el balón a buena velocidad. Para correr con el balón, los jugadores lo empujan varias zancadas por delante, normalmente con el exterior del pie y luego esprintan hasta alcanzarlo para volver a empujarlo.

A diferencia de muchas otras habilidades futbolísticas, no existe una única técnica de regate correcta. Por esta razón, a menudo el regate es considerado como un arte más que como una habilidad técnica. Los jugadores han de desarrollar su propio estilo de regate siempre que cumpla los objetivos primarios de superar al rival a la vez que se mantiene la posesión del balón. Claro está, elementos clave como las fintas y los amagos con el cuerpo, los repentinos cambios de dirección y de ritmo y el estrecho control del balón son comunes en todos los estilos de regate efectivos. Sin embargo, las formas en que los jugadores incorporan dichas maniobras en sus propios estilos de regate pueden variar. En esencia, si un estilo de regate le funciona a un jugador, entonces es apropiado para dicho jugador.

Las técnicas de protección del balón suelen ser empleadas conjuntamente con las habilidades de regate para proteger el balón de un rival que lucha por la posesión. Para proteger el balón, el jugador coloca su cuerpo entre el balón y el rival que está intentando robarlo. El balón es controlado con el pie más alejado del rival y el atacante debe reajustar su posición en respuesta a la presión ejercida por el contrincante. Esta técnica también recibe el nombre de tapar o esconder el balón.

La entrada es estrictamente una técnica defensiva empleada para robar el balón a un rival. Se utilizan tres técnicas diferentes (técnica frontal, la entrada lateral y el barrido) en función de la situación. La entrada frontal se emplea cuando el rival encara directamente al defensor. La entrada lateral y el barrido se llevan a cabo cuando el defensor se aproxima al atacante por un lado o por detrás. La entrada frontal tiene ventajas sobre la entrada lateral y el barrido. Permite un mayor control del cuerpo y posibilita que el defensor inicie un contraataque inmediato una vez ha recuperado el balón. Además, si el jugador no logra arrebatar la posesión del balón, puede recuperar rápidamente la posición y perseguir al rival.

Los ejercicios de entrenamiento de esta sección hacen hincapié en el desarrollo de las técnicas de regate, protección del balón y entrada defensiva, a menudo dentro del mismo juego. La mayoría de los ejercicios incluyen cierto grado de preparación física, ya que los jugadores están en constante movimiento durante toda la actividad.

Minutos: De 5 a 10

Jugadores: Número ilimitado (en parejas)

Objetivos: Mejorar las técnicas de regate y conducción del balón mediante la realización de sutiles fintas con el cuerpo, repentinos cambios de dirección y de ritmo y movimientos de engaño con los pies.

Organización: Los jugadores se emparejan con un compañero. Jugar en la mitad de un campo reglamentario, un balón por jugador.

Desarrollo: Las parejas conducen el balón de forma aleatoria por el área de juego, con un miembro en cabeza y el otro siguiéndolo de cerca. El jugador que está detrás intenta imitar los movimientos del que lidera (o convertirse en su sombra). Los compañeros cambian de papel cada 45-60 segundos, tras la indicación del entrenador.

Forma de puntuación: Ninguna.

Consejos prácticos: Animar a los jugadores a que tengan la cabeza los más erguida posible durante la conducción y los regates para aumentar la visión del campo. Hacer hincapié en un movimiento fluido y controlado. Es posible que el ejercicio sea más exigente pidiendo a los jugadores que aumenten la velocidad o reduciendo las dimensiones del área de juego para que tengan que mantener un estrecho control del balón en un espacio restringido.

26 Regatear para mantener la posesión

Minutos: De 5 a 10

Jugadores: Número ilimitado (2 equipos de igual tamaño)

Objetivos: Practicar varios tipos de maniobras de regate.

Organización: Utilizar conos chinos para señalizar dos cuadrados de juego de 10 m de lado, separados a una distancia de 20 m. Dividir el equipo en dos grupos de idéntico tamaño. Un grupo se ubica en cada cuadrado y cada jugador tiene un balón.

Desarrollo: Todos los jugadores de cada grupo conducen dentro de su cuadrado, empleando todas las superficies del pie para controlar el balón. Según las indicaciones del entrenador, los jugadores cambian de dirección, de ritmo y practican movimientos de engaño con los pies, como pueden ser las bicicletas, siempre dentro de sus cuadrados. Tras la indicación: "¡Salid!", los jugadores de cada grupo conducen el balón a máxima velocidad desde su cuadrado hasta el cuadrado del rival. Cuando han llegado a la nueva área, los jugadores continúan conduciendo hasta que el entrenador les indique regresar al recinto original. Repetir varias veces.

Forma de puntuación: El grupo cuyos jugadores lleguen al nuevo cuadrado en primer lugar recibe 1 punto. El primer equipo en llegar a 5 puntos es el equipo ganador.

Consejos prácticos: Para hacer que el juego sea más difícil es posible reducir el tamaño de los cuadrados y aumentar la distancia entre los mismos.

Minutos: 5

Jugadores: Número ilimitado (2 equipos de igual tamaño)

Objetivos: Practicar las maniobras de regate, los cambios de dirección y de ritmo y las fintas y amagos con el cuerpo.

Organización: Utilizar conos chinos para señalizar un cuadrado de juego de 30 m de lado. Dividir el grupo en dos equipos de idéntico tamaño. Para comenzar, un equipo es designado como "sabuesos" y se sitúan de forma aleatoria por toda la zona de juego, permaneciendo inmóviles. El otro equipo se denomina "perreros". Cada perrero comienza con un balón.

Desarrollo: Los perreros conducen el balón aleatoriamente por el área, moviéndose entre los perros al tiempo que ensayan cambios de ritmo, dirección y maniobras de engaño. Tras 45-60 segundos de regates continuos, el entrenador da la indicación de "Soltar a los perros". Tras dicha señal, cada perrero toca al perro más cercano y lo convierte en perrero. El nuevo perrero comienza a regatear y conducir el balón y el antiguo perrero pasa a ser perro y adopta una posición inmóvil. Continuar durante varias rondas y los grupos se alternan entre perros y perreros.

Forma de puntuación: Ninguna.

Consejos prácticos: Aumentar el tamaño del área de juego para aumentar las demandas físicas del ejercicio.

28) Imanes

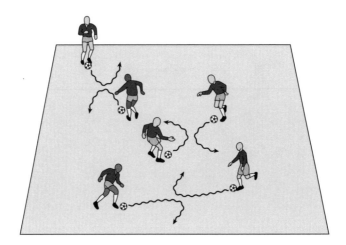

Minutos: De 5 a 10

Jugadores: Número ilimitado

Objetivos: Practicar las habilidades de regate; incorporar los cambios de dirección y de ritmo en las maniobras de regate y conducción.

Organización: Utilizar conos para señalizar un cuadrado de juego de 20 m de lado. Todos los jugadores comienzan dentro del área, cada uno con un balón.

Desarrollo: Tras la señal del entrenador, los jugadores comienzan a regatear de forma aleatoria dentro del área, manteniendo un estrecho control del balón en todo momento. Los jugadores han de considerarse a sí mismos como imanes con cargas similares (se repelen entre sí). Cada vez que un jugador se acerca a otro jugador, inmediatamente ha de cambiar la trayectoria y moverse en una dirección diferente.

Forma de puntuación: Ninguna.

Consejos prácticos: Animar a los jugadores a que realicen repentinos cambios de dirección y de ritmo cuando sean repelidos por el resto de jugadores, manteniendo en todo momento un estrecho control del balón.

Minutos: Rondas de 60 segundos con pequeños descansos entre cada ronda (de 8 a 10 rondas)

Jugadores: Número ilimitado

Objetivos: Desarrollar la habilidad de cambiar bruscamente de dirección y de ritmo durante la conducción; practicar con rapidez la detención y la reanudación del movimiento del balón.

Organización: Señalizar un cuadrado de juego de 20 m de lado. Cada jugador tiene un balón.

Desarrollo: A la señal del entrenador, todos los jugadores comienzan a regatearse entre sí. Tras la indicación de "Luz verde", aumentan la velocidad de regate y se mueven lo más rápidamente posible dentro del área sin perder el control del balón. Con la indicación "Luz ámbar", ralentizan el regate pero continúan moviéndose. Tras la indicación "Luz roja" detienen el balón pisándolo con la suela. Dar las indicaciones de forma aleatoria durante un período de 60 segundos, descansar durante 15 segundos y volver a repetir.

Forma de puntuación: Ninguna.

Consejos prácticos: Los jugadores han de mantener en todo momento un estrecho control del balón mientras conservan el equilibrio y el control del cuerpo. Es posible variar la frecuencia de las indicaciones para que los jugadores no puedan anticiparse a la secuencia. Este juego es más apropiado para los jugadores más jóvenes que están aprendiendo los componentes básicos de un regate efectivo.

Minutos: De 5 a 10

Jugadores: Número ilimitado

Objetivos: Practicar la conducción y el regate en un espacio reducido; mitigar la presión defensiva por medio de cambios de ritmo y de dirección repentinos.

Organización: Utilizar conos chinos para señalizar un cuadrado de juego de 25 m de lado. Designar dos jugadores como defensores que se sitúan fuera del área. Los jugadores restantes, cada uno con un balón, comienzan dentro del cuadrado. Cada jugador se coloca un peto de color en la parte trasera del pantalón de forma que quede colgando.

Desarrollo: Todos los jugadores dentro del cuadrado comienzan a conducir de forma aleatoria. Tras la indicación del entrenador, los defensores esprintan hacia el interior del área para perseguir a los regateadores y arrebatarles el peto que cuelga de los pantalones. Los regateadores realizan cambios de dirección o de ritmo repentinos (o ambos) para sortear a los defensores. Si el peto de un regateador es arrancado, inmediatamente pasa a ser defensor e intenta hacerse con el peto de otro regateador. El defensor que captura un peto lo remete por dentro de sus pantalones, se hace con el balón del regateador y se convierte él mismo en regateador. Un regateador ha de mantener en todo momento la posesión del balón; no puede abandonar el balón en el intento de escapar de los defensores.

Forma de puntuación: Ninguna.

Consejos prácticos: Animar a los regateadores a mantener la cabeza erguida lo máximo posible para ser conscientes de los movimientos de los defensores.

Minutos: 10

Jugadores: De 8 a 16

Objetivos: Practicar el regate y la conducción del balón con velocidad, teniendo la cabeza erguida y una buena visión del campo.

Organización: Utilizar los conos chinos para señalizar un cuadrado de juego de 25 m de lado. Tres jugadores se sitúan en el centro del área de juego, de cara a una de las líneas de banda. El resto de jugadores, cada uno con un balón, se sitúa en la línea de banda de cara a los jugadores en el centro. Emplear conos o discos de plástico para construir varias miniporterías, de 1,5 m de anchura, en la línea de banda opuesta. Debería haber tantas miniporterías como número de jugadores con balón en la banda contraria.

Desarrollo: Tras la señal del entrenador, los tres jugadores en el centro, que están sin balón, esprintan hacia la línea lateral que tienen a su espalda; cada uno se coloca delante de una miniportería para taparla. En el mismo instante, los jugadores de la banda contraria, cada uno con un balón, recorren el cuadrado a máxima velocidad conduciendo el balón hasta atravesar una portería vacía. Cuando un regateador atraviesa una portería vacía, dicha portería queda clausurada para cualquier otro regateador. Los tres regateadores que no consiguen atravesar una portería libre pasan a ser los jugadores en el centro de la pista en la siguiente ronda.

Forma de puntuación: Un regateador recibe 1 punto si atraviesa una portería vacía con el balón en los pies. Después de varias rondas, el jugador que más puntos tenga gana el juego.

Consejos prácticos: Es posible variar el ejercicio indicando a los jugadores en el centro, sin balones, que intenten hacerse con la posesión de un balón efectuando una entrada o despejándolo fuera de la cancha.

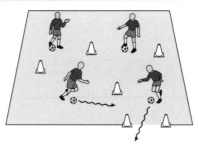

Minutos: De 5 a 10

Jugadores: Número ilimitado

Objetivos: Practicar el regate y la conducción de balón a distintas velocidades en espacios limitados.

Organización: Utilizar conos chinos para señalizar dos cuadrados de juego de 15 m de lado separados una distancia aproximada de 10 m. Colocar varios discos o conos en distintos puntos del interior de cada campo a modo de obstáculos que hay que sortear. Situar también una portería de 3,5 m de ancho en una esquina de cada cuadrado, en la línea lateral más cercana al otro cuadrado. Las porterías están en diagonal, una respecto a la otra. El equipo se divide en dos grupos y hay un grupo en cada campo. Cada jugador necesita un balón.

Desarrollo: Todos los jugadores comienzan conduciendo el balón dentro de su campo, sorteando los obstáculos y a los demás jugadores. Tras las indicaciones del entrenador de "Primera marcha", "Segunda marcha" o "Tercera marcha", los jugadores aumentan o disminuyen la velocidad a la que conducen el balón, manteniéndolo en todo momento cerca de los pies. Tras la indicación de "Cambio de campo", todos los jugadores salen de su campo con el balón en los pies atravesando la portería y entran en el otro campo a través de la otra portería. Cuando cambian de campo, los regateadores deben tener la cabeza erguida para evitar los choques con los jugadores del otro grupo que también están cambiando de campo. Jugar de forma ininterrumpida durante 10 minutos con los jugadores cambiando constantemente de ritmo y de un campo al otro.

Forma de puntuación: Ninguna.

Consejos prácticos: Este juego es más apropiado para los jugadores más jóvenes que están aprendiendo las sutilezas de las diversas técnicas de regate.

Minutos: Rondas de 30 segundos (jugar una serie de rondas)

Jugadores: Número ilimitado (en parejas, un balón por pareja)

Objetivos: Desarrollar las técnicas de regate, conducción y protección del balón; practicar la técnica de entrada lateral; mejorar la preparación física.

Organización: Cada pareja señaliza un cuadrado de juego de 10 m de lado. Un jugador, con balón, se sitúa dentro del cuadrado. Su compañero se coloca fuera del cuadrado para empezar.

Desarrollo: El jugador sin balón (defensor) entra en el campo de juego e intenta arrebatar el balón al poseedor mediante una entrada lateral; este intenta proteger el balón colocando adecuadamente el cuerpo entre el balón y el defensor. El poseedor ha de realizar repentinos cambios de ritmo o de dirección (o ambos) para sortear la entrada del defensor. Jugar rondas de 30 segundos, y después de cada una los jugadores intercambian los papeles. Disputar varias rondas.

Forma de puntuación: Conceder 1 punto de penalización al poseedor cada vez que su balón sea cortado y despejado fuera del área de juego. El jugador que tenga menos puntos de penalización después de una serie de rondas gana la competición.

Consejos prácticos: Aumentar el tamaño del campo de juego con los jugadores más jóvenes para que tengan más espacio para sortear al defensor. Alargar las rondas hasta 45 segundos o más con los jugadores más experimentados.

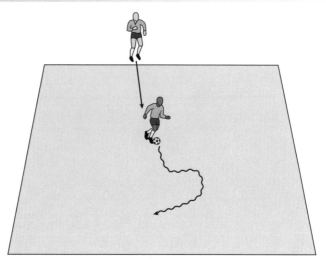

Minutos: Intervalos de 60 segundos

Jugadores: Número ilimitado (en parejas, un balón por pareja)

Objetivos: Desarrollar la técnica de salir de la presión.

Organización: Señalizar un cuadrado de juego de 25 m de lado.

Desarrollo: El jugador con el balón conduce dentro del área; su compañero espera a la indicación del entrenador para entrar en la cancha e intenta tocar al poseedor del balón. Después de ser tocado, el poseedor ha de cambiar rápidamente de dirección y de ritmo para alejarse del perseguidor. Continuar durante 60 segundos con la máxima intensidad. Luego los jugadores cambian de papel y repiten. Disputar varias rondas de 60 segundos.

Forma de puntuación: El poseedor recibe 1 punto de penalización cada vez que es tocado por el perseguidor. El jugador con el menor número de penalizaciones en 60 segundos gana la ronda. El jugador que gana más rondas, gana el juego.

Consejos prácticos: El poseedor debe mantener el balón bajo control cuando intenta sortear al perseguidor.

Minutos: 12

Jugadores: Número ilimitado (grupos de 3)

Objetivos: Mejorar las técnicas de regate y protección del balón; mejorar la habilidad para identificar y evitar la presión defensiva.

Organización: Utilizar conos chinos para señalizar un área de juego de 15 × 20 m para cada grupo. Tres jugadores, cada uno con un balón, se sitúan en el perímetro del área. Uno de estos jugadores es "el que la lleva"; los otros son perseguidores.

Desarrollo: El jugador "que la lleva" entra en el área conduciendo el balón. Los perseguidores, que también conducen un balón cada uno, intentan seguirlo de cerca. Cuando están en posición, los perseguidores intentan golpear mediante un envío el balón del jugador "que la lleva". Este intenta sortear a los perseguidores con repentinos cambios de dirección y de ritmo mientras mantiene el control de su balón. Jugar durante 60 segundos, después de los cuales los jugadores intercambian los papeles y repiten el ejercicio. Continuar hasta que cada jugador "la haya llevado" en tres ocasiones.

Forma de puntuación: El jugador "que la lleva" recibe 1 punto de penalización cada vez que su balón sea golpeado por el balón de un perseguidor. Gana el jugador que termine con menos puntos de penalización.

Consejos prácticos: El juego puede ser más exigente si se incorpora un perseguidor adicional o si se reduce el tamaño del área de juego.

(36) El primero en llegar al cono

Minutos: 12 (en períodos de 60 segundos)

Jugadores: Número ilimitado (en parejas, un balón por pareja)

Objetivos: Ensayar los movimientos de engaño con los pies y las fintas con el cuerpo para desequilibrar al rival; practicar los cambios de dirección y de ritmo repentinos; mejorar la movilidad y la agilidad con y sin balón; desarrollar resistencia aeróbica.

Organización: Para cada pareja de jugadores se sitúan dos conos u otro tipo de señalizador separados a una distancia de 10 m y sobre la línea de banda o la línea de meta del campo. Los compañeros se colocan cara a cara a ambos lados de la línea, en el punto medio entre los conos. Un jugador, el atacante, tiene el balón mientras que el otro juega como defensor.

Desarrollo: El atacante intenta conducir hacia cualquiera de los conos antes de que el defensor llegue y ocupe posición defensiva. Ninguno de los jugadores puede cruzar la línea que los separa. Jugar ininterrumpidamente durante 90 segundos. Tras un breve descanso, los jugadores cambian la posesión del balón y repiten. Disputar seis rondas.

Forma de puntuación: El atacante obtiene un punto cada vez que alcance un cono con el balón controlado antes que el defensor. Gana el jugador que consiga más puntos.

Consejos prácticos: Animar a los atacantes a que combinen los movimientos de engaño del cuerpo con repentinos cambios de dirección y de ritmo para desequilibrar al defensor. Los defensores deben mantener en todo momento el equilibrio y el control sobre el cuerpo. Para que el ejercicio sea más exigente físicamente se puede aumentar a 15 m la distancia entre los conos. A modo de variación, es posible organizar un torneo en que los ganadores van enfrentándose a distintos rivales.

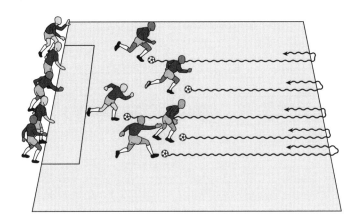

Minutos: 10

Jugadores: Número ilimitado (en parejas, un balón por pareja)

Objetivos: Mejorar la velocidad de conducción de balón y regate; desarrollar resistencia aeróbica; generar una atmósfera de entrenamiento competitivo.

Organización: Jugar en un campo reglamentario. Utilizar la línea frontal de un área de penalti como línea de salida y la línea de medio campo como la línea de media vuelta. Cada jugador forma pareja con un compañero y se sitúa sobre la línea de salida. Cada pareja tiene un balón.

Desarrollo: Tras la señal de "¡Adelante!" un miembro de cada pareja sale conduciendo el balón a máxima velocidad hacia la línea de medio campo, gira y regresa hacia la línea de salida. Cuando llega, entrega el balón a su compañero para que salga a completar el circuito corriendo a toda velocidad con el balón en los pies.

Forma de puntuación: La primera pareja que complete el circuito (desde el área de penalti hasta la línea de medio campo y vuelta al área de penalti) gana la carrera. Disputar al menos 10 carreras, con breves descansos entre una y otra.

Consejos prácticos: La técnica empleada para conducir el balón a plena velocidad es diferente a la que se utiliza para controlar el balón en espacios limitados. En lugar de dar pasos pequeños e irregulares mientras mantienen el balón cerca del pie, los jugadores dan zancadas más largas y empujan el balón adelantándolo dos o tres metros para esprintar y volver a empujarlo. Ajustar la distancia de la carrera para adaptarse a la edad y habilidad de los jugadores. Para jugadores de 10 años o menos es aconsejable reducir la distancia.

Minutos: de 10 a 15

Jugadores: Número ilimitado (equipos de igual tamaño de 3 a 5 jugadores)

Objetivos: Aumentar la velocidad en la conducción de balón con un buen control; mejorar la preparación física.

Organización: Cada uno de los equipos se coloca en fila frente a una hilera de cinco a ocho conos separados 2 m entre sí. El primer jugador de cada fila tiene un balón.

Desarrollo: Tras la señal de "¡Ahora!" el primer jugador de cada fila conduce el balón a lo largo del eslalon lo más rápidamente posible, trazando un zigzag entre los conos hasta llegar al final, donde da la vuelta y vuelve repitiendo movimientos hasta la línea de salida. Al llegar, entrega el balón al siguiente jugador de la fila, que repite el circuito. Los compañeros completan el circuito hasta que todos lo hayan realizado. El equipo cuyos jugadores terminen en el menor tiempo es el equipo ganador. Repetir varias veces la carrera.

Forma de puntuación: El equipo que gana una carrera recibe 10 puntos, el segundo recibe 8 puntos y el tercero, 6 puntos. Por cada cono omitido o derribado se resta un punto al equipo. Para determinar los puntos totales se resta los puntos de penalización a los puntos ganados por orden de llegada. El primer equipo que llega a 40 puntos es el equipo ganador.

Consejos prácticos: Para que el juego sea más difícil, reducir la distancia entre los conos o aumentar el número de estos.

Minutos: De 10 a 15

Jugadores: Número ilimitado (dos equipos del mismo tamaño)

Objetivos: Mejorar la velocidad de conducción y regate y el control del balón; desarrollar habilidades defensivas individuales.

Organización: Utilizar conos chinos para señalizar un cuadrado de juego de 35 m de lado. El tamaño del área puede variar en función del número de jugadores participantes. Marcar en cada esquina del área de juego un cuadrado de 5 m de lado como zona de seguridad. Organizar dos equipos del mismo número de jugadores, asignando a cada equipo un nombre (como por ejemplo Rojos y Azules). Emplear petos de colores para diferenciarlos. Todos los jugadores comienzan dentro del área, cada uno con un balón.

Desarrollo: Tras la indicación del entrenador, los jugadores de ambos equipos conducen el balón de forma aleatoria por el interior del área de juego evitando las zonas de seguridad. Tras 10 o 15 segundos, el entrenador grita el nombre de uno de los equipos. En este momento, todos los miembros de dicho equipo intentan conducir el balón hacia una zona de seguridad pero con una restricción: no pueden ir a la zona de seguridad más cercana. Los jugadores del otro equipo, los lobos, dejan inmediatamente sus balones e intentan pillar (tocando con la mano) a los jugadores rivales, las ovejas, antes de que entren en una zona de seguridad. Las ovejas están a salvo una vez dentro de una zona de seguridad. La ronda termina cuando todas las ovejas han sido pilladas por los lobos o han entrado en una zona de seguridad. Posteriormente, los jugadores de ambos equipos regresan al centro del área y reinician el juego para la segunda ronda. Disputar varias rondas y los equipos se alternan entre lobos y ovejas.

Forma de puntuación: Las ovejas que llegan a una zona de seguridad sin haber sido pilladas reciben 1 punto. El equipo que, tras varias rondas, tenga más puntos gana la competición.

Consejos prácticos: Para jugadores avanzados, aumentar el tamaño del área de juego o pedir a los lobos que conduzcan un balón mientras persiguen a las ovejas.

40 Entrar a todos los balones

Minutos: 10

Jugadores: Número ilimitado

Objetivos: Practicar las técnicas de entrada frontal y lateral; desarrollar las técnicas de conducción y protección del balón; mejorar la preparación física.

Organización: Utilizar conos para señalizar un área rectangular de 20 × 30 m. Elegir a dos o tres jugadores como defensores que se colocan, sin balón, fuera del área de juego. El resto de jugadores, cada uno con un balón, se sitúan dentro del área.

Desarrollo: El juego comienza con los jugadores interiores (atacantes) conduciendo el balón de forma aleatoria dentro del área. Tras la indicación del entrenador, los defensores entran en el área para perseguir a los atacantes y hacerse con la posesión del balón. Los defensores emplean las técnicas de entrada frontal y entrada lateral para robar el balón a los atacantes. El atacante que pierde el balón ante un defensor pasa inmediatamente a ser defensor e intenta robar el balón a otro atacante. El defensor que roba el balón a un rival se convierte inmediatamente en atacante. El juego es continuo, ya que los jugadores se alternan entre atacantes y defensores.

Forma de puntuación: Ninguna.

Consejos prácticos: Los barridos están prohibidos debido a la alta concentración de jugadores. Es posible disminuir el tamaño del área o aumentar el número de defensores para que el ejercicio resulte más exigente para los atacantes.

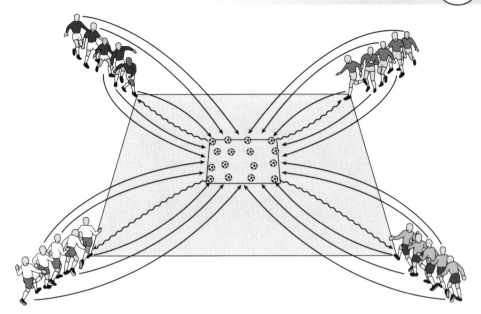

Minutos: De 10 a 15

Jugadores: De 20 a 24 (4 equipos de igual tamaño)

Objetivos: Mejorar la velocidad de conducción de balón; practicar la técnica de entrada frontal y lateral; practicar las carreras de recuperación defensiva; desarrollar resistencia aeróbica.

Organización: Utilizar conos chinos para señalizar un cuadrado de juego de 45 m. Trazar un cuadrado de 10 m de lado en el centro del área de juego. Organizar cuatro equipos iguales y situar a cada equipo en una esquina del cuadrado mayor. Colocar un conjunto de balones en el cuadrado central (cuatro balones menos que el número de participantes). Los equipos utilizan petos de colores para diferenciarse.

Desarrollo: Tras la indicación de "¡Ahora!" los jugadores de los cuatro equipos esprintan hacia el centro, compiten por la posesión de balón e intentan conducir el balón de vuelta a su esquina inicial. Dado que hay menos balones que jugadores, los jugadores que no consiguen un balón han de perseguir a los rivales y evitar que lleven el balón a su esquina realizando entradas defensivas. La ronda finaliza cuando todos los balones hayan llegado a las esquinas. Volver a colocar los balones en el centro y repetir la actividad. Disputar al menos 10 rondas.

Forma de puntuación: El grupo que lleve más balones a su esquina recibe 1 punto. Para que valga el punto, el balón ha de ser conducido bajo control y detenido en la esquina. El equipo que consiga más puntos después de 10 rondas es el equipo ganador.

Consejos prácticos: Prohibir los barridos, especialmente por detrás.

42 K.O.

Minutos: De 10 a 15

Jugadores: De 10 a 20

Objetivos: Desarrollar las técnicas de conducción y protección de balón y de entrada defensiva; mejorar la preparación física.

Organización: Utilizar conos para señalizar un área rectangular de 20 × 30 m. Todos los jugadores comienzan dentro del área de juego, cada uno con un balón.

Desarrollo: Para comenzar, los jugadores conducen el balón aleatoriamente dentro del área, evitando al resto de jugadores y manteniendo el balón bajo control. Tras la indicación del entrenador, el ejercicio se convierte en un K.O. Cada jugador intenta interceptar los balones de los compañeros y enviarlos fuera del área mientras intenta mantener la posesión del balón propio. El jugador cuyo balón es enviado fuera del área abandona el juego, recupera su balón y practica malabarismos a un lado de la pista hasta que el juego concluya. El ejercicio finaliza cuando solo quede un jugador con el control de su balón. Repetir la actividad varias veces.

Forma de puntuación: El último jugador que mantenga la posesión del balón gana el juego.

Consejos prácticos: Variar el tamaño del área de juego en función del número de jugadores. Pedir a los jugadores que realicen una entrada frontal o lateral cuando intenten robar el balón. Prohibir los barridos debido a la alta concentración de jugadores.

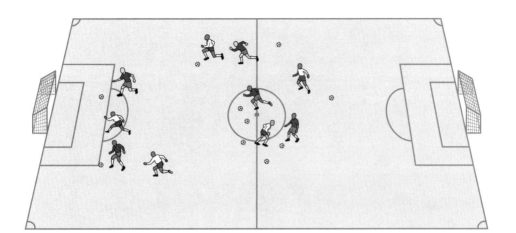

Minutos: De 10 a 15

Jugadores: De 10 a 20 (dos equipos de igual tamaño, de 5 a 10 jugadores)

Objetivos: Mejorar la velocidad de conducción de balón; desarrollar resistencia general; practicar carreras de recuperación defensiva y técnicas de entrada defensiva.

Organización: Jugar en un campo reglamentario. Organizar dos equipos de igual número de jugadores y nombrar a cada equipo, por ejemplo, Delanteros y Chutadores. Los jugadores de ambos equipos, cada uno con un balón, se sitúan en el centro del campo. Cada equipo defiende una línea de meta del campo. Emplear petos de colores para diferenciar a los equipos. No hacen falta ni porterías ni porteros.

Desarrollo: Para comenzar, los jugadores de ambos equipos conducen el balón de forma aleatoria dentro del círculo central. Tras varios segundos, el entrenador grita el nombre de un equipo, por ejemplo "¡Delanteros!". Tras esta señal, todos los jugadores de dicho equipo abandonan el círculo central y conducen el balón a velocidad máxima hacia la línea de meta de los Chutadores. Los chutadores abandonan sus balones y persiguen, intentando alcanzar a los jugadores del equipo Delanteros, para robarles el balón antes de que lleguen a la línea de meta. El chutador que roba un balón intenta conducirlo hasta el círculo central. La ronda finaliza cuando todos los balones hayan sido conducidos hasta traspasar la línea de meta o hayan sido devueltos al círculo central. Jugar de 8 a 10 rondas, alternándose los equipos entre la defensa y el ataque.

Forma de puntuación: El equipo atacante obtiene 1 punto por cada balón que supere la línea de meta del rival. El equipo defensor obtiene 2 puntos por cada balón robado y conducido hasta el círculo central. El equipo que consigue más puntos gana la ronda y el equipo que gana más rondas gana el juego.

Consejos prácticos: Ajustar el tamaño del campo para adaptarse a las edades y habilidades de los jugadores. Los jugadores más jóvenes (12 años y menos) deberían jugar en tres cuartos del campo. Los defensores han de realizar las carreras de recuperación de la forma más directa posible hacia un punto entre la línea de meta y el rival que estén persiguiendo. Cuando estén en el lado de la portería, los defensores pueden realizar entradas defensivas. Está prohibido hacer barridos por detrás.

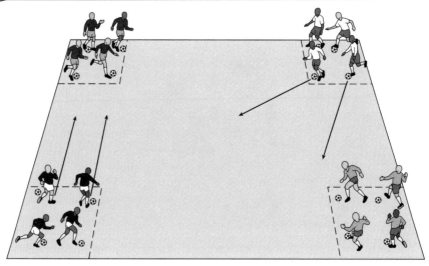

Minutos: De 10 a 15

Jugadores: Número ilimitado (4 equipos de igual tamaño)

Objetivos: Desarrollar las técnicas de conducción y de entrada defensiva; mejorar la preparación física; crear una atmósfera de entrenamiento competitiva y divertida.

Organización: Utilizar conos chinos para señalizar un cuadrado de juego de 45 m de lado. Marcar un cuadrado de 10 m de lado en cada una de las esquinas del cuadrado de juego. Dividir el grupo en cuatro equipos. Cada equipo se sitúa en un cuadrado de las esquinas; dicho cuadrado es el banco de cada equipo. Cada jugador tiene un balón.

Desarrollo: Cada equipo deposita todos sus balones en su propio banco. Un jugador de cada equipo es designado como el guardián del banco, cuya responsabilidad es proteger los balones del equipo de los rivales que intentan robarlos. El resto de jugadores del equipo son ladrones que buscan e intentan robar los balones de los bancos de los equipos rivales para depositarlos en sus propios bancos. El juego comienza tras la señal del entrenador. Los ladrones corren hacia los otros bancos e intentan robar los balones guardados allí para llevarlos a sus propios bancos. El guardián del banco intenta proteger sus balones cortando el balón del ladrón que intenta el robo.

Forma de puntuación: El equipo que tenga el mayor número de balones en su banco tras 2 minutos recibe 1 punto. Jugar varias rondas. El primer equipo que llegue a 3 puntos gana el juego.

Consejos prácticos: Para que el juego sea más difícil para los ladrones, los bancos pasan a estar custodiados por dos guardianes.

Minutos: De 10 a 15

Jugadores: Número ilimitado

Objetivos: Practicar las técnicas de conducción de balón y de entrada defensiva en la misma actividad; fomentar la competición dentro del equipo.

Organización: Utilizar conos chinos para señalizar un cuadrado de juego de 35 m de lado. Trazar un cuadrado más pequeño de 10 m de lado en el centro del cuadrado mayor. Dividir el grupo en dos equipos con el mismo número de jugadores. Un equipo comienza dentro del cuadrado menor y cada jugador tiene un balón. Los jugadores del otro equipo comienzan en el área que rodea al cuadrado menor, sin balones.

Desarrollo: Los jugadores que están dentro del cuadrado menor conducen sus balones de forma aleatoria dentro de dicho cuadrado. Los jugadores del equipo rival corren de forma aleatoria en la superficie que rodea al cuadrado menor. Tras la señal del entrenador, los jugadores con balón salen del cuadrado e intentan conducir su balón hacia el exterior del cuadrado mayor. Los rivales intentan evitar que los jugadores con balón lleguen al perímetro cortando el balón y enviándolo fuera. El jugador que sale del cuadrado mayor con el balón controlado recibe 1 punto. Los jugadores de cada equipo cuentan los puntos para llevar el marcador. Posteriormente, los jugadores intercambian los papeles y se repite la actividad.

Forma de puntuación: Los jugadores de ambos equipos suman los puntos individuales para llevar la cuenta del equipo. El equipo que obtenga más puntos tras seis rondas gana la competición.

Consejos prácticos: Prohibir la ejecución de barridos para robar el balón; los jugadores solo pueden hacer entradas laterales y frontales.

Minutos: 10

Jugadores: Número ilimitado (por parejas, un balón por pareja)

Objetivos: Desarrollar la habilidad de regate y de superar a un defensor; practicar las técnicas de entrada lateral y entrada frontal.

Organización: Los jugadores se emparejan para competir. Señalizar un área de juego de 20 m de largo × 10 m de ancho para cada pareja. Los miembros de la pareja se sitúan en cada extremo del área de juego; un jugador tiene el balón.

Desarrollo: El jugador con el balón lo pasa a su compañero e inmediatamente esprinta hacia delante para defender su línea de fondo, que es la portería que ha de atacar su compañero. El jugador que recibe el balón intenta regatear al defensor y superarlo para llegar a la línea de fondo. El juego continúa hasta que o bien el atacante cruza la línea de fondo o bien el defensor roba el balón o bien este sale del área de juego, aquello que ocurra antes. Posteriormente los jugadores intercambian los papeles y repiten. Jugar un total de 20 rondas, alternando la posesión del balón después de cada una.

Forma de puntuación: El atacante recibe 1 punto cada vez que regatea y supera al defensor en su camino hacia la línea de fondo.

Consejos prácticos: Con los jugadores más jóvenes, ensanchar el área de juego para crear un canal más amplio en el que superar al rival.

Capítulo 4

Juegos de pase
y recepción del balón

Las técnicas de pase y recepción del balón constituyen el hilo fundamental que conecta entre sí las partes individuales del equipo, los jugadores, para crear un todo engranado que es superior a la suma de las partes. La habilidad de los jugadores para pasar el balón con precisión y con la potencia adecuada es necesaria para crear exitosas combinaciones ofensivas. El pase no ha de ser ni demasiado rápido ni demasiado lento: el balón deberá llegar con firmeza a los pies del compañero, pero no tan fuerte que sea difícil de controlar. De igual importancia es la habilidad para recibir y controlar con destreza los balones que llegan rasos y por arriba. Todos los jugadores, incluido el portero, han de desarrollar seguridad y competencia en el pase y la recepción del balón.

Los pases deben ser rasos en lugar de bombeados siempre que sea posible. Los pases rasos son más fáciles de controlar y normalmente pueden jugarse con mayor precisión que los pases por alto. Sin embargo, en los partidos siempre hay ocasiones en que la situación dictamina que el balón debe jugarse por el aire. Por ejemplo, un rival puede estar tapando la línea de pase entre el jugador con el balón y un compañero ubicado en una buena situación ofensiva. O un jugador puede decidir colgar el balón al hueco por detrás de la defensa del rival para que un compañero corra a por él. En estas situaciones el pase puede ser bombeado (o picado) elevándose en el aire. Hay tres superficies del pie, el interior, el exterior y el empeine (los cordones) que pueden ser utilizadas para elevar el balón. El empeine también se utiliza para colgar pases bombeados a gran distancia.

Normalmente los balones rasos se controlan tanto con el interior como con el exterior del pie, aunque también se puede emplear la suela para el control de este tipo de pase. Los balones que llegan por arriba pueden controlarse con el interior del pie, el muslo, el pecho o, en raras ocasiones, con la cabeza. En cualquier caso, el jugador ha de retirar ligeramente la superficie receptora en el momento del contacto con el balón para amortiguar el impacto y generar un blanco blando. El primer toque al balón que el jugador da según llega es el más importante. Los jugadores capaces de reconocer la presión defensiva y controlar el balón orientándolo hacia un espacio alejado del rival, en lugar de detenerlo por completo, obtienen un instante y un espacio adicionales para iniciar su próximo movimiento. La adecuada colocación del cuerpo cuando llega el balón también es importante para mantener la posesión, en especial cuando un rival está intentando robar el balón. Es fundamental recalcar estos conceptos en todos los ejercicios de pase y recepción.

Los juegos de esta sección se centran en el desarrollo de los fundamentos técnicos del pase y la recepción del balón, aunque en muchos de los ejercicios también se incluyen otras habilidades futbolísticas. El objetivo primordial de cada juego es que los jugadores adquieran competencia y confianza en sus técnicas de pase y recepción en situaciones similares a las de competición. El entrenador tiene la posibilidad de modificar los juegos para hacer hincapié en técnicas de pase y recepción específicas. La mayoría de ellos pueden adaptarse fácilmente de acuerdo a la edad, capacidad y madurez física de los jugadores.

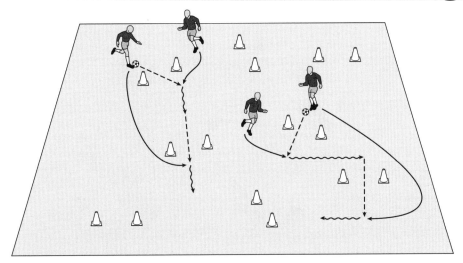

Minutos: 5

Jugadores: Número ilimitado (en parejas, 1 balón por pareja)

Objetivos: Practicar el pase y la recepción del balón con un compañero mientras se recorre el campo de juego.

Organización: Señalizar un cuadrado de juego de 45 m de lado. Utilizar conos chinos para crear de 8 a 12 porterías pequeñas (1,5 m de ancho) situadas de forma aleatoria por todo el campo. Los jugadores se distribuyen en parejas y cada una tiene un balón.

Desarrollo: Las parejas se desplazan por el área de juego realizando combinaciones y pasándose el balón a través de las porterías con la mayor frecuencia posible. No les está permitido pasarse el balón dos veces seguidas a través de la misma portería. Tras efectuar un pase a través de una portería, el jugador que recibe el pase conduce hacia otra portería mientras que su compañero esprinta para recibir el pase de vuelta a través de la siguiente miniportería.

Forma de puntuación: Cada pareja de compañeros compite con las otras parejas. La pareja que complete el mayor número de pases a través de las porterías gana la competición.

Consejos prácticos: Hacer hincapié en la precisión y en la adecuada potencia de los pases. Para aumentar la presión sobre los pasadores, añadir un defensor al ejercicio.

Minutos: 10

Jugadores: Número ilimitado (en grupos de 5 a 8)

Objetivos: Desarrollar las técnicas de pase y recepción del balón al tiempo que se recorre el campo de juego; mejorar la resistencia física.

Organización: Utilizar conos chinos para señalizar un área de juego de 25 × 35 m para cada grupo. Los jugadores comienzan dentro del área. Cada jugador del grupo recibe un número, comenzando por 1 y continuando hasta completar el número de jugadores del grupo. Dos jugadores del grupo tienen un balón cada uno.

Desarrollo: Todos los jugadores comienzan desplazándose por el área de juego. Cada grupo trabaja para completar un circuito pasando el balón desde el jugador con el número más bajo al compañero inmediatamente superior. Por ejemplo, el jugador 1 siempre pasa al jugador 2, este al jugador 3 y así sucesivamente. El jugador con el número más alto pasa al jugador 1 para completar el circuito y unir todos los puntos. Al comienzo, los jugadores con balón lo conducen por el campo y los jugadores sin balón cambian continuamente de posición para ofrecerse al pase del compañero con un número inmediatamente inferior. Todos los jugadores han de moverse continuamente durante el ejercicio mientras pasan a un compañero con un número superior y reciben el pase del compañero con un número inmediatamente inferior.

Forma de puntuación: Ninguna.

Consejos prácticos: El ejercicio debería fluir continuamente con los jugadores conduciendo, pasando y recibiendo el balón. Indicar a los jugadores que no detengan completamente el balón cuando lo reciban, sino que lo controlen hacia la dirección (espacio) de su siguiente movimiento. Es posible hacer que el juego sea más exigente imponiendo restricciones a los jugadores (como obligarles a pasar solo con el pie débil o solo con el interior o el exterior del pie).

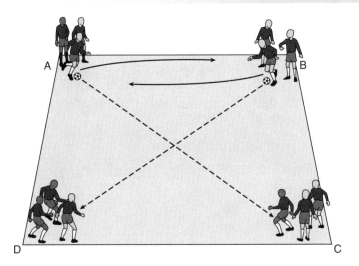

Minutos: 5

Jugadores: De 12 a 16 (4 equipos de igual tamaño)

Objetivos: Desarrollar la habilidad de preparar el balón y pasarlo con precisión dando solo dos toques para controlar y pasar; incorporar la preparación física en una sesión técnica.

Organización: Utilizar conos chinos para señalizar un cuadrado de juego de 10 m de lado. Tres o cuatro jugadores forman una fila en cada esquina (A, B, C y D) del cuadrado. La esquina A es la opuesta en diagonal a C y B es la opuesta en diagonal a D. El primer jugador de la fila A y el primer jugador de la B comienzan con un balón.

Desarrollo: El primer jugador de la fila A y el de la fila B pasan el balón en diagonal hacia las esquinas C y D respectivamente y luego cambian de esquina, corriendo a lo largo del lado del cuadrado de modo que el jugador A se une al final de la fila B y el pasador B va al final de la fila A. Al mismo tiempo, el primer jugador de la fila C y el de la fila D reciben y controlan el balón con el primer toque y luego lo devuelven a las esquinas A y B con el segundo toque, cambiando posteriormente de esquina. El juego continúa y los jugadores realizan pases diagonales y esprintan lateralmente a otra esquina.

Forma de puntuación: Ninguna.

Consejos prácticos: Variar los patrones de carrera y pase. Por ejemplo, los jugadores pasan diagonalmente y luego esprintan siguiendo el pase hacia dicha esquina o también los jugadores pueden pasar lateralmente a una esquina adyacente y esprintar en diagonal cruzando el cuadrado. Hacer hincapié en la importancia de pasar y moverse a otro espacio.

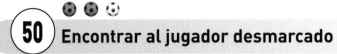

Minutos: De 8 a 16

Jugadores: Número ilimitado (grupos de 4: 3 pasadores y 1 jugador diana)

Objetivos: Realizar pases rasos rápidos y al primer toque hacia un compañero desmarcado, al tiempo que se mantiene el equilibrio y una adecuada postura corporal.

Organización: Tres jugadores (pasadores) se sitúan uno al lado del otro separados a una distancia de 1,5 m. El cuarto jugador (diana) se sitúa de cara a los pasadores a una distancia de 5 m. Los pasadores 1 y 2 tienen un balón cada uno, mientras que el pasador 3 no tiene balón.

Desarrollo: El pasador 1 comienza pasando el balón al jugador diana, que lo pasa al primer toque con el interior del pie al pasador 3. Inmediatamente después, el pasador 2 pasa el balón al jugador diana, que lo devuelve al pasador 1 que está sin balón. El pasador 3 envía el balón (recibido del jugador diana) de vuelta al jugador diana, quien lo pasa al pasador 2 y se repite el ciclo. El juego continúa a máxima velocidad y el jugador diana devuelve cada pase al pasador que está sin balón. Tras 2 minutos de pases continuos, uno de los pasadores intercambia su posición con el jugador diana. Repetir hasta que todos los jugadores hayan sido jugador diana.

Forma de puntuación: Realizar el mayor número de pases posible sin errores durante 2 minutos.

Consejos prácticos: Los pases de los pasadores al jugador diana han de ser precisos y con la potencia adecuada. El jugador diana debe enviar todos los pases al primer toque y ha de tener la cabeza levantada para saber qué pasador está sin balón. Si un balón sale alejado de los jugadores, el ejercicio continúa con el segundo balón sin interrumpir el juego.

Variaciones: El jugador diana puede pasar el balón con el interior o con el exterior del pie. Los pasadores pueden realizar pases rasos o lanzar el balón con las manos al jugador diana que debe recibir, controlar y devolver el balón. Los jugadores avanzados pueden realizar este ejercicio al tiempo que se desplazan por un área de juego de mayores dimensiones.

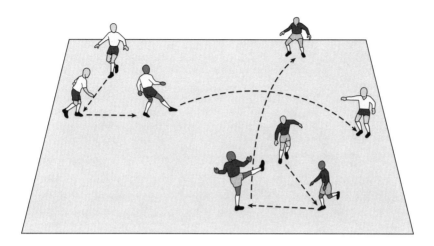

Minutos: 10

Jugadores: Número ilimitado (en grupos de 4 o 5)

Objetivos: Desarrollar la técnica de pase corto, pase medio y pase largo; introducir el concepto de cambio de ritmo ofensivo; fomentar que los jugadores realicen repentinos cambios de juego ofensivo.

Organización: Los jugadores se distribuyen en grupos de cuatro, con un balón por grupo. Jugar en un área de al menos 30 × 50 m. Todos los grupos comienzan dentro del área.

Desarrollo: Los compañeros se pasan el balón dentro de su grupo mientras se desplazan por todo el área de juego. Los compañeros deben realizar una secuencia de pases corto-corto-largo efectuando dos pases en corto consecutivos (de 5 a 10 m) seguidos por un pase en largo (de 20 a 30 m) con el objetivo de cambiar el juego ofensivo. El ejercicio continúa con los jugadores realizando la secuencia corto-corto-largo. Los pases en corto han de ser rasos, mientras que los pases en largo pueden ser rasos o por alto.

Forma de puntuación: Ninguna; animar a los jugadores a que repitan la secuencia de pases corto-corto-largo el mayor número de veces posible en el tiempo dado.

Consejos prácticos: Hacer hincapié en la precisión y potencia adecuada de los pases. Ejecutar el ejercicio a velocidad de partido, aunque no haya defensores presionando. Los jugadores sin balón deben realizar inteligentes movimientos de apoyo para ofrecerse al pase dentro de la secuencia corto-corto-largo. Es posible aumentar la exigencia del ejercicio imponiendo restricciones sobre los jugadores (como por ejemplo limitando el número de toques posible) o añadiendo la presión ejercida por rival(es) en la defensa.

52 Pared, giro y otra vez

Minutos: 16 minutos (8 períodos de 2 minutos cada uno)

Jugadores: Número ilimitado (en grupos de 4)

Objetivos: Realizar pases precisos al primer toque; desarrollar carreras de apoyo efectivas; mejorar la preparación física.

Organización: Los jugadores 1 y 2 se sitúan de espaldas entre sí a medio camino entre los jugadores 3 y 4 (pasadores) que están situados a una distancia de 15 m; cada pasador tiene un balón.

Desarrollo: El ejercicio comienza con los jugadores 1 y 2 apoyando al pasador que tienen enfrente y avanzando hacia él. Los pasadores 3 y 4 realizan un pase firme hacia los jugadores de apoyo, 1 y 2, que devuelven el balón a los servidores al primer toque (pared). Tras hacer la pared, los jugadores 1 y 2 giran y corren a apoyar al pasador opuesto, repitiendo el ejercicio. Continuar a máxima velocidad y esfuerzo durante 2 minutos, después de los cuales los jugadores de apoyo y los pasadores se intercambian los puestos y repiten. Todas las paredes al primer toque se realizan con el interior o con el exterior del pie. Cada jugador hace de jugador de apoyo un total de cuatro veces.

Forma de puntuación: Los jugadores realizan el mayor número de paredes que puedan en 2 minutos. El jugador que haga más paredes (en el total de las 4 rondas) sin errores gana la competición.

Consejos prácticos: Variar el tipo de pase realizado por el jugador de apoyo (primer toque, segundo toque, exterior del pie, etc.). Hacer hincapié en efectuar rápidas carreras de apoyo hacia el pasador y paredes precisas y potentes.

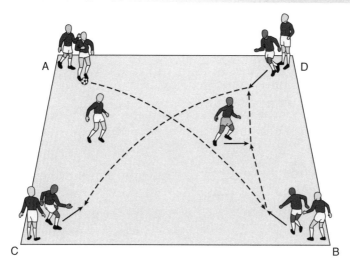

Minutos: 10

Jugadores: 10

Objetivos: Mejorar la habilidad para jugar con precisión y potencia adecuada los balones aéreos en distancias largas; practicar la recepción de balones que llegan por alto.

Organización: Señalizar un cuadrado de juego de 30 m de lado. Dos jugadores se sitúan en cada una de las esquinas (A, B, C y D) y dos jugadores (E y F) se colocan en el centro del cuadrado. La esquina B es la opuesta en diagonal a la esquina A y la esquina D es la opuesta en diagonal a la esquina C. El jugador A comienza con el balón. El jugador F se sitúa de cara a la esquina B y el jugador E está de frente a la esquina C para empezar el ejercicio.

Desarrollo: Un jugador en la esquina A envía un pase bombeado en diagonal hacia el jugador en la esquina B. El jugador B pasa el balón al jugador central F, que se gira y pasa al jugador en la esquina D. El jugador D envía un pase bombeado al jugador central E, que se gira y pasa al siguiente jugador en la esquina A. Repetir el patrón e indicar a los jugadores que cambien de puesto siguiendo sus pases y colocándose en la esquina a la que pasaron.

Forma de puntuación: Un jugador recibe 1 punto por cada balón que pase bombeado en diagonal hacia la esquina opuesta y que pueda ser controlado por el jugador receptor. El jugador que acumule el mayor número de puntos tras 10 minutos de juego gana la competición.

Consejos prácticos: Indicar a los jugadores que introduzcan el empeine bajo el balón con un golpeo corto y potente para generar un pase con la suficiente altura y distancia. Este ejercicio puede ser demasiado difícil para los jugadores más jóvenes que no poseen la habilidad necesaria para llevarlo a cabo.

(54) Malabarismos en grupo

Minutos: De 5 a 10 minutos (rondas de 1 minuto)

Jugadores: Número ilimitado (en grupos de 3)

Objetivos: Hacer malabarismos en el aire pasando y recibiendo el balón con varias partes del cuerpo.

Organización: Cada grupo juega en su propia área, un cuadrado de 15 m de lado.

Desarrollo: Los jugadores mantienen el balón en el aire pasando y recibiendo el balón con varias partes del cuerpo (empeine, muslo, pecho, cabeza). Jugar series de rondas de 1 minuto.

Forma de puntuación: El grupo en el que el balón caiga menos veces al suelo en una ronda de 60 segundos gana la ronda. Jugar varias rondas consecutivas. El grupo que gane más rondas, gana la competición.

Consejos prácticos: A modo de variación se puede pedir a los jugadores que se muevan mientras efectúan los pases, que reciban con una parte determinada del cuerpo o que se pasen el balón entre sí con un número establecido de toques.

Minutos: De 10 a 15

Jugadores: De 10 a 14 (2 equipos de igual tamaño)

Objetivos: Recibir y controlar balones que llegan por el aire empleando varias partes del cuerpo; fomentar los movimientos de apoyo para los jugadores cerca del balón; mejorar la resistencia general.

Organización: Utilizar conos para señalizar un área de 30 × 40 m. Distribuir el grupo en dos equipos de igual número de jugadores que empiezan dentro del área. Emplear petos de colores para diferenciar los equipos. Uno de los equipos tiene la posesión para comenzar.

Desarrollo: El equipo con el balón juega un rondo contra sus rivales, pero en lugar de golpear el balón con el pie lo lanzan con las manos. Los jugadores deben recibir y controlar los pases con el empeine, el muslo, el pecho o la cabeza y luego coger el balón con las manos antes de que caiga al suelo. Los jugadores con el balón pueden dar cuatro pasos antes de pasarlo a un compañero. El equipo rival (recuperadores) obtiene la posesión del balón interceptando un pase (con las manos) o cuando un rival no consigue controlar el balón antes de que caiga al suelo. Los jugadores no pueden luchar por la posesión del balón cuando el rival lo ha recibido y controlado.

Forma de puntuación: Un equipo recibe 1 punto por 10 pases consecutivos. Gana el equipo que consiga más puntos.

Consejos prácticos: Indicar a los jugadores que ofrezcan una zona blanda retirando la superficie de contacto con el balón (pie, muslo, etc.) en el momento del contacto para amortiguar el impacto. Ajustar el tamaño del área para adaptarse al número de jugadores. Este ejercicio puede no ser el más apropiado para los jugadores más jóvenes que no dominen los fundamentos básicos de recepción del balón.

Minutos: 3 minutos por ronda o hasta que todos los jugadores hayan sido eliminados, lo que ocurra antes.

Jugadores: De 12 a 20 (2 equipos de igual tamaño)

Objetivos: Mejorar las habilidades de pase y conducción de balón; desarrollar la agilidad, la movilidad y la preparación física.

Organización: Utilizar conos chinos para señalizar un cuadrado de juego de 30 m. Los jugadores del equipo A comienzan dentro del área sin balones; los jugadores del equipo B empiezan fuera del área con un balón cada uno.

Desarrollo: Tras la indicación del entrenador, los jugadores del equipo B conducen el balón dentro del área y realizan pases con la intención de alcanzar a los jugadores del equipo A. Todos los pases han de ser realizados con el interior o con el exterior del pie y deben contactar con los jugadores del equipo A por debajo de las rodillas. Los jugadores del equipo A tienen libertad para moverse por toda el área de juego para evitar ser golpeados por un balón. Cualquier jugador que sea alcanzado con un balón por debajo de la rodilla queda eliminado del juego y abandona el área de juego para practicar habilidades individuales de manejo del balón hasta que el juego finalice. Jugar durante 3 minutos o hasta que todos los jugadores del equipo A hayan sido eliminados, lo que ocurra antes. Los equipos intercambian papeles y se repite.

Forma de puntuación: El equipo que elimine a todos sus rivales en el menor período de tiempo gana; o si no todos los jugadores son eliminados, el equipo que elimine al mayor número de jugadores gana. Repetir el ejercicio varias veces y en cada ocasión los equipos intercambian los papeles.

Consejos prácticos: Animar a los jugadores a que conduzcan el balón hasta situarse lo más cerca posible del jugador diana antes de pasar el balón. Hacer más hincapié en la precisión del pase en detrimento de la potencia. Es posible ajustar el tamaño del área de juego para adaptarlo a las edades y habilidades de los jugadores.

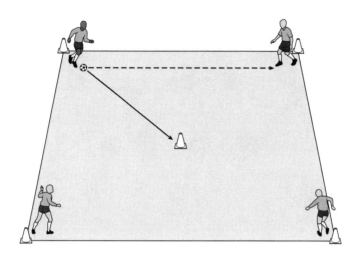

Minutos: De 5 a 10

Jugadores: Número ilimitado (en grupos de 4)

Objetivos: Pasar, recibir y desplazarse al hueco.

Organización: Colocar 4 discos planos o conos chinos para representar las esquinas de un cuadrado de 30 m. Situar un señalizador adicional en el centro del cuadrado. Para comenzar, un jugador se sitúa en cada esquina; el señalizador central representa el hueco. Es necesario un balón por grupo.

Desarrollo: El jugador con el balón pasa a cualquiera de los otros jugadores y esprinta hacia el cono central (hueco). El jugador que recibe el balón lo controla a un toque, lo pasa a otro compañero con un segundo toque y luego esprinta hacia el hueco recién creado. El ejercicio continúa con los jugadores recibiendo, pasando y desplazándose al hueco.

Forma de puntuación: Ninguna.

Consejos prácticos: Este ejercicio hace hincapié en el importante concepto de desplazarse hacia el hueco después de pasar el balón. Los jugadores han de controlar y preparar el balón con el primer toque para enviar el pase lo más rápidamente posible antes de esprintar hacia el espacio libre.

(58) La caza del zorro

Minutos: 15 (o 10 puntos, lo que ocurra antes)

Jugadores: Número ilimitado (3 equipos del mismo tamaño)

Objetivos: Desarrollar las técnicas de pase; mejorar la resistencia general.

Organización: Utilizar conos para señalizar un área de juego de 30 × 40 m. Los tres equipos se sitúan dentro del área de juego. Emplear petos de colores para diferenciar a los equipos. Designar a un jugador de cada equipo como el zorro, que lleva una camiseta o peto distinto. Cada equipo tiene dos balones; en todo momento hay seis balones en juego.

Desarrollo: El objetivo es impactar mediante un toque de balón en el zorro del equipo rival por debajo de la rodilla. Los jugadores mueven el balón, combinando los pases y la conducción, hasta lograr la mejor posición para golpear al zorro. Los zorros pueden moverse por toda el área de juego para evitar ser golpeados por el balón.

Forma de puntuación: Por cada pase que golpea en el zorro por debajo de la rodilla, el equipo que ha efectuado el pase recibe 1 punto. Cada equipo lleva la cuenta de los puntos conseguidos. El primer equipo que obtiene un total de 10 puntos (o el equipo con el mayor número de puntos después de 15 minutos) gana la competición.

Consejos prácticos: Este ejercicio es apropiado para los jugadores que han conseguido dominar los fundamentos básicos de pase. Reducir el tamaño del área para los jugadores más jóvenes y con habilidades menos desarrolladas.

Minutos: 18

Jugadores: De 9 a 12 (3 equipos de 3 o 4)

Objetivos: Desarrollar combinaciones de pases en grupo; ensayar adecuados movimientos de apoyo de los compañeros sin balón; practicar los principios defensivos de *pressing*, cobertura y basculación.

Organización: Utilizar conos para señalizar un área de juego de 30 × 40 m. Un equipo se sitúa dentro del área como equipo defensor. Los equipos restantes (atacantes) reparten homogéneamente a sus jugadores por el perímetro del área. Se necesita un balón por juego.

Desarrollo: Los atacantes intentan mantener el balón alejado de los defensores en inferioridad numérica. Los atacantes pueden desplazarse lateralmente a lo largo del perímetro para dar apoyo a sus compañeros en la recepción del pase, pero no pueden entrar dentro del área para recibir, lo que obliga a los atacantes a efectuar pases más largos. También están limitados a tres toques o menos para recibir, controlar y pasar el balón. Los defensores en inferioridad numérica deben trabajar en equipo para reducir los espacios de que disponen los atacantes y robar el balón. Cuando un defensor intercepta el balón, lo devuelve inmediatamente a un atacante. Jugar de forma ininterrumpida durante 6 minutos y luego repetir el ejercicio con otro equipo como defensor. Disputar un total de tres juegos; cada equipo juega un período de 6 minutos como equipo defensor.

Forma de puntuación: El equipo defensor que roba el balón o fuerza la pérdida de balón del equipo atacante recibe 1 punto. Los equipos atacantes obtienen 2 puntos por 8 o más pases consecutivos. El equipo con mayor número de puntos tras 6 minutos gana la ronda.

Consejos prácticos: Los defensores deben trabajar en equipo para presionar el balón y cerrar las líneas de pase. Los atacantes pueden contrarrestar estas tácticas cambiando rápidamente el juego (ubicación del balón) para evitar que los defensores reduzcan los espacios. Ajustar el tamaño del área de juego para adaptarse a las edades y habilidades de los jugadores. Reducir el tamaño provoca que el equipo atacante tenga mayor dificultad para completar pases consecutivos.

Minutos: 15

Jugadores: De 12 a 20 (dos equipos del mismo tamaño)

Objetivos: Coordinar el juego de equipo mediante combinaciones efectivas de pases, movimientos de apoyo adecuados y movimientos sin balón con sentido.

Organización: Jugar en una mitad de un campo reglamentario. Designar un jugador en cada equipo como jugador diana. Utilizar petos de colores para diferenciar a los equipos y emplear un color adicional para distinguir a los jugadores diana. Un equipo comienza con la posesión del balón.

Desarrollo: Los equipos compiten entre sí. Cada equipo tiene dos objetivos principales: (1) mantener la posesión del balón y (2) completar pases dirigidos al jugador diana. Los jugadores diana han de moverse constantemente para ofrecerse a los pases de los compañeros. El cambio de posesión tiene lugar cuando un jugador rival intercepta un pase o realiza una entrada con éxito, cuando el balón sale del campo de juego o tras completar un pase con éxito al jugador diana. Se aplican todas las normas del fútbol excepto la regla del fuera de juego.

Forma de puntuación: Un equipo recibe 1 punto por completar 6 pases consecutivos sin perder la posesión y obtiene 2 puntos por cada pase a su jugador diana. Gana el equipo que consiga más puntos.

Consejos prácticos: Reducir el tamaño del área para los jugadores más habilidosos. A modo de variación, es posible nombrar dos jugadores diana en cada equipo o imponer restricciones en el toque del balón (por ejemplo, solo es posible pases al segundo toque) o ambas.

Minutos: De 15 a 20

Jugadores: 12 (3 equipos de 4)

Objetivos: Ejecutar las técnicas de pase con presiones similares a las de partido.

Organización: Jugar en un área de 40 × 20 m. Organizar equipos de 4 jugadores cada uno. Los equipos se diferencian mediante petos de colores; para empezar, un equipo es designado como equipo defensor. Los dos equipos restantes se combinan para formar un equipo atacante de 8 jugadores. El equipo atacante comienza con la posesión del balón.

Desarrollo: El equipo de ocho jugadores intenta mantener el balón lejos del alcance del equipo de cuatro jugadores. Los atacantes solo pueden dar dos toques para recibir y pasar el balón. El cambio de posesión tiene lugar cuando un defensor roba el balón, cuando un atacante manda el balón fuera del área o cuando un atacante da más de dos toques para controlar el balón. El grupo de cuatro cuyo error provoca la pérdida de la posesión pasa inmediatamente a ser el equipo defensor e intenta recuperar el balón; los miembros del equipo defensivo original pasan a ser atacantes. El juego continúa mientras los equipos se alternan entre el ataque y la defensa tras cada pérdida de posesión.

Forma de puntuación: 10 pases consecutivos sin pérdida del balón valen 1 punto.

Consejos prácticos: Es posible hacer que el ejercicio sea más o menos difícil en función de la edad y habilidad de los jugadores. Por ejemplo, el entrenador puede permitir a los jugadores más jóvenes tres o cuatro toques para controlar el balón, mientras que puede restringir a los jugadores más avanzados a un juego al primer toque. También es posible aumentar el número de jugadores para disputar un 10 contra 5 o un 12 contra 6, lo que reduce el espacio y el tiempo del que disponen los jugadores para recibir y pasar el balón.

62 La posesión del gran grupo

Minutos: 15

Jugadores: De 15 a 21 (2 equipos de 6 a 9 jugadores más 3 jugadores neutrales)

Objetivos: Desarrollar combinaciones de pases.

Organización: Jugar en una mitad de un campo reglamentario. Designar a tres jugadores como jugadores neutrales y distribuir al resto de jugadores en dos equipos del mismo tamaño. Utilizar petos de colores para diferenciar a los dos equipos y a los jugadores neutrales. Es necesario al menos un balón, pero es mejor tener más. Un equipo empieza con la posesión del balón.

Desarrollo: El equipo con el balón intenta mantenerlo lejos de sus rivales. Los jugadores neutrales siempre juegan con el equipo que tiene la posesión para crear una superioridad de tres jugadores en el equipo atacante. Todos los jugadores, incluidos los neutrales, pueden dar tres o menos toques para pasar y recibir el balón. El cambio de posesión tiene lugar cuando el balón sale de banda, cuando un rival roba el balón o cuando un jugador da más de tres toques para recibir y pasar el balón. Los equipos intercambian los papeles en cada cambio de posesión, pasando del ataque a la defensa y viceversa.

Forma de puntuación: Ocho pases consecutivos sin perder la posesión valen 1 punto. Gana el equipo con más puntos.

Consejos prácticos: Hacer hincapié en la importancia de recibir y preparar el balón con el primer toque. Fomentar un rápido movimiento del balón junto al cambio de juego constante. El equipo con la posesión ha de agrandar el campo a lo largo y a lo ancho para crear más espacios y tener más tiempo para recibir y pasar el balón. Los jugadores defensores han de trabajar en equipo para presionar el balón y reducir los espacios a su alrededor.

8 contra 8 (+2). Cruzando la línea central (63)

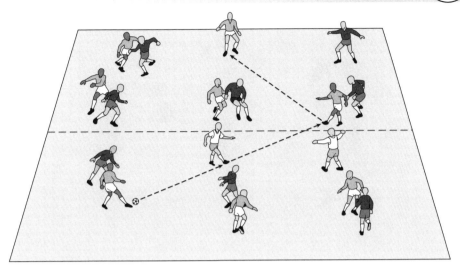

Minutos: De 15 a 20

Jugadores: 18 (2 equipos de 8 más 2 jugadores neutrales)

Objetivos: Desarrollar combinaciones de pases para mover el balón con rapidez y eficacia a distintas partes del campo; mejorar la resistencia general.

Organización: Utilizar conos chinos para señalizar un cuadrado de juego de 45 m de lado, dividido por la mitad por una línea central. Formar dos equipos de 8 jugadores cada uno; designar a dos jugadores adicionales como jugadores neutrales que siempre van con el equipo atacante. Emplear petos de colores para diferenciar a los equipos y a los jugadores neutrales.

Desarrollo: El equipo con la posesión del balón intenta mantenerlo lejos del alcance de los rivales. Los jugadores solo pueden dar tres o menos toques para recibir, controlar y pasar el balón. Los equipos pueden completar tres o menos pases en la misma mitad del campo antes de cambiar el juego al campo contrario. El cambio de posesión tiene lugar cuando el balón sale del campo de juego, cuando un rival roba el balón, cuando un equipo da más de tres pases en la misma mitad del campo o cuando un jugador da más de tres toques para recibir y pasar el balón.

Forma de puntuación: Un equipo que complete seis o más pases consecutivos (pero no más de tres en la misma mitad del campo) recibe 1 punto. Gana el equipo que consiga más puntos.

Consejos prácticos: Animar a los jugadores a que muevan el balón con rapidez, con el menor número de toques posible, mientras cambian constantemente la posición del balón como reacción ante el *pressing* ejercido por los rivales.

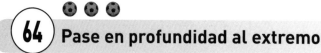

64 **Pase en profundidad al extremo**

Minutos: 20

Jugadores: De 8 a 12 (2 equipos de 4, 5 o 6)

Objetivos: Desarrollar combinaciones de pases empleados para subir el balón hasta zonas ofensivas peligrosas.

Organización: Emplear conos chinos para señalizar un campo de 45 m de largo × 20 m de ancho. Delimitar una zona de 10 m de profundidad en cada extremo del campo que abarque los 20 m de ancho. Ambos equipos comienzan en el área central del campo entre las zonas de los extremos. No hay porteros ni porterías. Se necesita un balón.

Desarrollo: El juego comienza con un saque inicial en el centro del campo. Se aplican las normas básicas del fútbol (menos el método de puntuación). El equipo con el balón obtiene 1 punto si completa un pase a un jugador que haya avanzado hasta la zona de fondo del rival. Los defensores no pueden entrar en su propia zona de fondo para interceptar los pases, sino que deben ocupar posiciones como equipo para evitar que los pases lleguen a entrar en dicha zona. El cambio de posesión tiene lugar cuando el equipo defensor roba el balón, cuando el balón sale del campo y el último en tocar es un atacante o tras obtener 1 punto. En cualquier otro caso, se juega de forma ininterrumpida.

Forma de puntuación: El equipo atacante recibe 1 punto por pase recibido y controlado dentro de la zona de fondo del rival. Gana el equipo que obtenga más puntos.

Consejos prácticos: Ajustar el tamaño del campo para adaptase a las edades y habilidades de los jugadores. Las zonas finales más pequeñas dificultan la obtención de puntos, mientras que las zonas finales más grandes (de mayor anchura y profundidad) dificultan la tarea defensiva de los jugadores para evitar la obtención de puntos. Imponer restricciones sobre los jugadores para destacar determinados aspectos del juego (por ejemplo, disuadir el regate excesivo limitando el número de toques a tres o menos antes de realizar un pase).

Minutos: 20

Jugadores: De 10 a 14 (2 equipos de igual tamaño de 5 a 7 jugadores)

Objetivos: Desarrollar las técnicas de pase y recepción de balón bajo presiones similares a las de partido; desarrollar la resistencia aeróbica.

Organización: El juego se desarrolla en un campo reglamentario entre las áreas de penalti. Situar conos chinos de forma aleatoria para representar cinco porterías pequeñas (de 2 m de ancho) dentro del área de juego. Emplear petos de colores para diferenciar a los equipos. Hace falta un balón. No hay porteros.

Desarrollo: Un equipo tiene la posesión del balón para comenzar el ejercicio. Los equipos pueden marcar en las cinco porterías y también deben defender las cinco porterías. Los jugadores marcan gol cuando completan un pase a través de la portería a un compañero situado en el lado opuesto de la misma. El balón puede enviarse desde cualquier lado de la portería, pero no está permitido realizar pases consecutivos a través de la misma portería. El juego es continuo e ininterrumpido. El cambio de posesión se produce cuando el equipo defensor roba el balón o cuando el balón sale del área de juego y el último en tocar es un atacante. No hay cambio de posesión después de un gol. Se aplican todas las reglas habituales del fútbol excepto la regla del fuera de juego, que se omite.

Forma de puntuación: Los equipos obtienen 1 punto por cada pase a través de una portería que es recibido y controlado por un compañero. Gana el equipo que consiga más puntos.

Consejos prácticos: Prohibir los pases consecutivos a través de una misma portería anima a los jugadores a cambiar el juego ofensivo para penetrar en la zona de portería por el lado con menor número de rivales. Es posible reducir el tamaño del área para restringir el espacio y el tiempo disponibles para pasar y recibir el balón.

Minutos: 15

Jugadores: 20 (18 jugadores de campo y 2 porteros)

Objetivos: Mantener la posesión y conducir el balón al ataque mediante combinaciones de pases.

Organización: Señalizar un área de juego de 55 × 30 m con una portería de tamaño reglamentario en cada extremo del campo. Dividir el grupo en dos equipos de 9 jugadores cada uno más un portero en cada portería. Los equipos comienzan situados detrás de cada portería, frente a frente. Cada equipo elige a tres jugadores como defensores y los seis restantes serán atacantes. Colocar detrás de cada portería una provisión de balones.

Desarrollo: Tras la indicación del entrenador, un equipo ataca con seis jugadores; los rivales envían a sus tres defensores para hacer frente a los atacantes. Los atacantes juegan a dos toques para pasar y recibir el balón y deben tirar a portería en los 30 segundos posteriores al inicio del ataque. Tras el tiro a puerta, el gol, la pérdida de la posesión o el final del límite de 30 segundos, el equipo que originalmente defendía pasa a atacar con seis jugadores y sus rivales defienden con tres. El equipo que marque más goles en 15 minutos gana el juego.

Forma de puntuación: Un gol marcado dentro del límite de 30 segundos vale 1 punto.

Consejos prácticos: Animar al equipo atacante a mantener la posesión mediante combinaciones de pases y, al mismo tiempo, penetrar en el campo ofensivo lo más rápidamente posible para crear oportunidades de gol. En una situación de superioridad numérica (hay más atacantes que defensores), el equipo atacante ha de aprovechar dicha superioridad y atacar con velocidad y precisión.

Minutos: 20

Jugadores: De 10 a 20 (2 equipos de igual tamaño de 5 a 10 jugadores)

Objetivos: Practicar la recepción y control del balón cuando viene por alto.

Organización: Jugar en una pista de voleibol o de tenis al aire libre, si es posible. Si no lo es, utilizar conos chinos para señalizar un área rectangular de 35 × 20 m. Colocar una red o una cuerda a una altura de 2 m de lado a lado en el centro de la pista. Los equipos se sitúan a ambos lados de la red. Es necesario un balón de fútbol. Un equipo saca para comenzar.

Desarrollo: Los jugadores pueden usar la cabeza o los pies para jugar el balón. El saca-dor se sitúa por detrás de la línea de fondo. El balón debe ser sacado, desde su posición en el suelo, por encima de la red y ha de caer dentro de la pista del rival para ser con-siderado un saque válido. El balón puede botar una vez antes de ser devuelto, aunque también es correcto devolver el balón de volea antes de que toque el suelo (esto se aplica a todas las jugadas, no solo a la recepción del saque). Los compañeros pueden pasarse el balón entre sí sin que toque el suelo antes de devolverlo por encima de la red. Se pro-duce una falta si el servicio o la devolución no supera la red, si el saque o la devolución cae fuera de la pista, si el balón bota más de una vez o si un jugador usa los brazos o las manos para pasar o controlar el balón. Si el equipo al servicio comete una falta, pierde el saque a favor del equipo rival.

Forma de puntuación: El equipo al servicio obtiene 1 punto por cada falta cometida por el equipo al resto. Una falta cometida por el equipo al servicio genera el cambio de saque. Gana el primer equipo en conseguir 21 puntos. Se disputan tres juegos.

Consejos prácticos: El volei-fútbol es una buena opción para el día posterior a un partido cuando los jugadores están físicamente cansados y mentalmente agotados. Este ejerci-cio no es apropiado para los jugadores más jóvenes que carecen de la habilidad o de la madurez física para sacar y recibir balones altos.

Minutos: De 10 a 15

Jugadores: De 20 a 24 (2 equipos de igual tamaño)

Objetivos: Practicar las técnicas de pase y recepción bajo presiones similares a las de partido: tiempo limitado, espacio restringido y rivales en pugna por el balón.

Organización: Utilizar conos chinos para señalizar un área de 40 × 30 m. Dividir el grupo en dos equipos con el mismo número de jugadores (de 10 a 12 cada uno). Emplear petos de colores para diferenciar a los equipos. Cada equipo se divide en dos grupos de 5 o de 6. Un grupo de 5 o 6 jugadores de cada equipo se sitúa dentro del área de juego; los jugadores restantes de cada equipo se reparten a lo largo de las líneas del perímetro. Un equipo tiene la posesión para empezar.

Desarrollo: El equipo de 5 o 6 jugadores con el balón dentro del área intenta mantenerlo fuera del alcance de sus rivales. Los jugadores pueden pasar a cualquiera de sus compañeros, tanto los que están dentro del área como los que están fuera en el perímetro. Solo pueden dar dos o menos toques para recibir y pasar el balón. Los jugadores del perímetro no pueden entrar en el campo para recibir los pases, solo pueden desplazarse lateralmente por las líneas del perímetro. El equipo defensor obtiene la posesión cuando un compañero intercepta un pase o fuerza el fuera de banda del rival o cuando un oponente da más de dos toques para recibir y pasar. Los equipos cambian del ataque a la defensa, y viceversa, con cada cambio de posesión. Tras 3 o 4 minutos de juego continuo, los jugadores del perímetro cambian sus puestos con los jugadores de campo y el juego prosigue.

Forma de puntuación: Conceder 1 punto por ocho o más pases consecutivos sin perder la posesión.

Consejos prácticos: Animar a los jugadores a preparar el balón y jugarlo lo más rápidamente posible, cambiando constantemente el juego ofensivo para obligar a los rivales a bascular y reajustar las posiciones. Es posible hacer que el juego sea más difícil reduciendo el tamaño del campo.

Capítulo 5

Juegos de tiro a puerta y finalización de jugadas

Durante la Copa del Mundo de 2010, jugadores como Thomas Müller de Alemania, David Villa de España, Wesley Sneijder de Holanda y Diego Forlán de Uruguay recibieron gran parte de la atención mediática (y con motivo). Estos jugadores y otros cuantos forman un grupo de élite de goleadores del más alto nivel. Son los mejores artilleros del fútbol mundial, jugadores que pueden decidir el resultado de un partido con una jugada espectacular. Aunque los goles suelen ser habitualmente el resultado del esfuerzo de todo el equipo, el jugador que normalmente es capaz de finalizar las jugadas mandando el balón al fondo de la red es un excepcional y valioso miembro del equipo.

Marcar goles sigue siendo el objetivo más difícil en el fútbol, especialmente en los niveles más altos de competición, en donde las defensas están altamente organizadas y los porteros tienen enormes cualidades atléticas y acrobáticas. El éxito como goleador depende de varios factores, uno de los cuales es la habilidad para disparar con potencia y precisión con ambas piernas. Se suelen emplear diversas técnicas de tiro dependiendo de si el balón llega raso, con bote o por el aire. El golpeo con el empeine se utiliza para golpear un balón raso o inmóvil. La volea completa, media volea o volea lateral normalmente son empleadas para golpear un balón que llega botando o directamente por el aire. Cualidades menos tangibles como la determinación, la anticipación, la confianza, la calma bajo presión y el deseo de marcar gol también son variables de la ecuación.

Los grandes goleadores tienen un talento especial y poco común, la habilidad de finalizar consistentemente las oportunidades de gol que otros suelen desaprovechar, y es por ello por lo que son tan valiosos para sus equipos. No todos los jugadores, independientemente de lo mucho que se entrenen, tienen las capacidades físicas y mentales para convertirse en un goleador de primera clase. Sin embargo, puedo afirmar con total confianza que virtualmente todo jugador puede depurar sus habilidades de disparo y mejorar su habilidad para finalizar las oportunidades de gol. Al conseguirlo, el deportista puede desempeñar un papel más importante en los esfuerzos ofensivos del equipo. Un dicho habitual entre entrenadores lo expresa con acierto: "la buena suerte normalmente ocurre cuando la preparación se encuentra con la oportunidad". La palabra clave aquí es *preparación* y esta comienza con la práctica regular en sesiones de entrenamiento bien estructuradas.

Los juegos y ejercicios de tiro a puerta descritos en este capítulo expondrán a sus jugadores a las presiones competitivas que afrontan en situaciones de juego real; presiones como el espacio restringido, el tiempo limitado, el cansancio físico y la presencia de rivales que se afanan por arrebatar el balón. Es posible modificar los ejercicios para destacar la técnica de tiro que se elija. También es posible adaptar fácilmente los ejercicios para hacer más o menos difíciles ajustando variables como el tamaño del área, el número de toques permitido y el número de jugadores participantes.

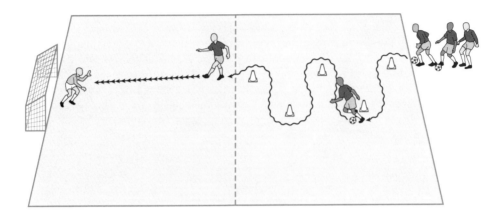

Minutos: De 10 a 15

Jugadores: De 4 a 6 (de 3 a 5 tiradores y 1 portero)

Objetivos: Tirar a portería con potencia y precisión saliendo del regate; regatear en espacios estrechos con buen control del balón; ofrecer al portero la oportunidad de entrenarse.

Organización: Utilizar conos chinos para señalizar un rectángulo de juego de 30 × 40 m, dividido por una línea central. Colocar una portería reglamentaria en el centro de una línea de fondo. Los tiradores, cada uno con un balón, se ubican en la línea de fondo opuesta. Emplear cinco discos o banderas, colocados en zigzag para representar un pequeño eslalon, en la parte central del campo en el que están los tiradores. Un portero se sitúa bajo los palos.

Desarrollo: Los tiradores, por turnos, conducen a máxima velocidad sorteando los señalizadores del eslalon. Tras sortear el último obstáculo, el tirador toca el balón hacia el campo del portero, esprinta hacia él y dispara a puerta. Inmediatamente después, el jugador recoge el balón y regresa a la posición inicial. El ejercicio continúa hasta que cada jugador haya tirado 20 veces a portería.

Forma de puntuación: Conceder al tirador 2 puntos por cada gol marcado y 1 punto por cada disparo a portería detenido por el portero. Gana el jugador con más puntos.

Consejos prácticos: Colocar las banderas o discos de forma que los tiradores deban hacer quiebros y cambios de dirección acentuados durante el regate. Hacer hincapié en la velocidad y en el control. Con los jugadores más jóvenes, disponer un eslalon más pequeño y con mayor distancia entre los señalizadores.

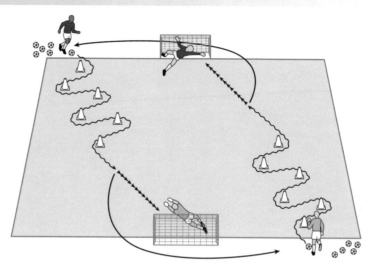

Minutos: 20

Jugadores: De 8 a 10 (en parejas más 2 porteros)

Objetivos: Mejorar la técnica de tirar a portería saliendo del regate.

Organización: Utilizar conos para señalizar un área de juego de 30 × 20 m. Colocar una portería reglamentaria en el centro de cada línea de fondo (línea de meta). Los jugadores compiten contra un compañero. Los compañeros de cada pareja se sitúan en las líneas de fondo contrarias, en las esquinas diagonalmente opuestas. En cada esquina hay una provisión de balones. Enfrente de cada compañero se coloca una serie de conos o señalizadores para crear un recorrido de obstáculos para el regate. En cada portería hay un portero.

Desarrollo: Tras la indicación de "¡Ya!" los compañeros conducen a través de sus respectivos eslálones, empujan el balón hacia delante y disparan a puerta para marcar gol. Tras el disparo, cada jugador continúa corriendo hacia delante y rodea la portería, recoge un balón en la esquina, recorre el segundo eslalon e intenta marcar gol en la otra portería. Cada compañero de la pareja realiza tres circuitos completos, de modo que dispara seis veces a puerta.

Forma de puntuación: El compañero que complete los tres circuitos en el menor tiempo recibe 1 punto. Los jugadores también reciben 1 punto por cada gol marcado, consiguiendo como máximo 7 puntos por ronda. Gana la ronda el jugador que consiga más puntos.

Consejos prácticos: Animar a los jugadores a que recorran el eslalon a máxima velocidad. Una vez superado el eslalon, han de adelantar el balón algunas zancadas, esprintar hacia él y disparar a portería antes de correr rodeando la portería para comenzar el siguiente eslalon.

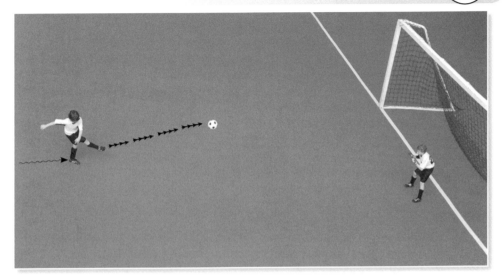

Minutos: De 10 a 15

Jugadores: 3 (2 tiradores, 1 portero)

Objetivos: Practicar el tiro a puerta después de conducción; competir en un ejercicio de entrenamiento con presión; mejorar la preparación física.

Organización: Jugar en un extremo de un campo reglamentario. Los jugadores compiten por parejas. Un jugador se sitúa a 30 m de la portería con doce balones. Su compañero comienza en la esquina superior del área de penalti, a 15 m de la portería. El portero está bajo los palos.

Desarrollo: Tras la indicación de "¡Ya!" el jugador situado a 30 m de la portería comienza a conducir el balón a máxima velocidad hacia la portería e intenta marcar gol desde una distancia de 15 m o más. Si el tirador marca, regresa inmediatamente al punto inicial, coge otro balón y repite. Si el tirador no marca, cambia de posición con su compañero situado en la esquina del área; este jugador esprinta hacia el punto situado a 30 m, coge un balón e intenta marcar gol. El ejercicio continúa hasta que se haya agotado la provisión de balones o el límite de tiempo impuesto. Repetir varias veces el ejercicio.

Forma de puntuación: El jugador que marque más goles gana el premio de la Bota de Oro como el máximo goleador del torneo.

Consejos prácticos: Animar a los jugadores a conducir el balón a máxima velocidad antes de lanzar a puerta. Los jugadores han de concentrarse en realizar la técnica de tiro adecuada, golpeando el balón con el empeine y las caderas paralelas a la portería.

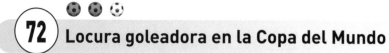

72) Locura goleadora en la Copa del Mundo

Minutos: De 20 a 25 (series de rondas de 5 minutos)

Jugadores: De 9 a 13 (de 8 a 12 jugadores de campo por parejas más 1 portero)

Objetivos: Mejorar la técnica de marcar gol bajo presiones similares a las de partido: tiempo limitado, espacio restringido y rivales en pugna por el balón.

Organización: Jugar dentro del área de penalti de un campo reglamentario con una portería reglamentaria ubicada en medio de la línea de meta. Situar una provisión de balones dentro de la portería. Los jugadores se distribuyen en parejas. Cada pareja elige un país al que representar (por ejemplo, Holanda, España, Alemania). Todas las parejas comienzan dentro del área de penalti. El portero neutral comienza dentro de la portería.

Desarrollo: El juego comienza con el portero lanzando un par de balones hacia el borde del área de penalti. Las parejas luchan por conseguir la posesión. Los equipos que consigan el balón intentan marcar gol en la portería mientras que las otras parejas defienden. No se aplica la regla del fuera de juego. Las parejas que no tengan el balón defienden mientras que las parejas con balón se dedican inmediatamente a atacar. Después de cada parada o gol, el portero pone el balón en juego lanzándolo hacia el borde del área. En todo momento hay dos balones en juego. Los jugadores deben gritar el nombre de su país cuando marquen gol o el gol no contará como válido y también deben llevar la cuenta de los goles que marcan durante la ronda. Jugar series de rondas de 4 o 5 minutos. El equipo que más goles marque al final de todas las rondas de la Copa del Mundo será el Campeón del Mundo.

Forma de puntuación: Se aplican las reglas habituales del fútbol excepto la del fuera de juego, que se omite. Todos los tiros a puerta deben ser desde dentro del área de penalti pero fuera del área de meta.

Consejos prácticos: El objetivo principal consiste en marcar goles en condiciones similares a las de partido. Animar a los jugadores a tirar a puerta en todas las oportunidades, a encarar a los defensores y a combinar con sus compañeros para crear oportunidades de gol. Prohibir los barridos.

Minutos: 15

Jugadores: Número ilimitado (en grupos de 4: 1 tirador, 1 portero, 2 pasadores)

Objetivos: Desarrollar las técnicas de tiro a puerta bajo presiones similares a las de partido; mejorar la preparación física.

Organización: Jugar en un extremo de un campo reglamentario con una portería reglamentaria situada en medio de la línea de meta. Elegir a un jugador como tirador, otro como portero y dos como pasadores. El rematador se sitúa a 20 m de la línea de meta, de espaldas a portería. Los pasadores comienzan a 30 m de la portería de cara al rematador, con 10-12 balones. El portero situado en la portería.

Desarrollo: Un pasador envía el balón hacia la portería, por delante del tirador, que se gira rápidamente, corre hacia el balón y dispara a puerta. El tirador debe golpear el balón al primer toque; inmediatamente corre de regreso a la posición inicial. En seguida, el segundo pasador lanza otro balón hacia delante, esta vez al lado contrario al anterior. El ejercicio continúa hasta que se agote la provisión de balones. El portero intenta parar todos los tiros. Los jugadores efectúan una rotación de posiciones (pasador y tirador) después de cada ronda. Jugar varias rondas.

Forma de puntuación: Los tiradores reciben 1 punto por cada disparo entre los tres palos y 2 puntos por cada gol marcado. El jugador que marque más goles gana la ronda.

Consejos prácticos: Animar a los tiradores a llegar al balón lo más rápidamente posible, trazando el recorrido más directo. Requerir tiros al primer toque, así como alternancia en la pierna de disparo (derecha e izquierda). Reducir la distancia de tiro, así como el número de repeticiones con los jugadores más jóvenes.

Minutos: 3 por ronda

Jugadores: 7 (1 tirador, 5 pasadores, 1 portero)

Objetivos: Mejorar la técnica para disparar a puerta con potencia y precisión; mejorar la preparación física; ofrecer al portero la oportunidad de entrenarse.

Organización: Jugar en un extremo de un campo reglamentario con una portería normal. Situar un cono en el borde frontal del arco del área de penalti, aproximadamente a 20 m de la portería. Cinco pasadores, cada uno con una provisión de balones, se sitúan alrededor del perímetro del área de penalti. El tirador se coloca en el arco del área de penalti al lado del cono. El portero está bajo los tres palos.

Desarrollo: El pasador 1 golpea el balón hacia el interior del área de penalti. El tirador avanza rápidamente hacia el balón, lo controla hacia la portería con el primer toque y dispara a puerta con el segundo. El tirador corre de vuelta al cono y vuelve a correr hacia el balón pasado al interior del área por el pasador 2. El portero intenta detener todos los tiros. Continuar durante dos rondas de disparos con todos los pasadores (10 tiros a puerta consecutivos), tras lo cual, el tirador intercambia la posición con uno de los pasadores y se repite la ronda con un rematador distinto. Continuar hasta que todos los jugadores hayan sido tiradores durante dos turnos.

Forma de puntuación: Conceder 1 punto por cada disparo entre los tres palos y 2 puntos por cada gol marcado. Gana el jugador que tenga más puntos.

Consejos prácticos: Variar el tipo de pase (raso, con bote o bombeado). A modo de variación, exigir disparos a puerta al primer toque o añadir defensores.

Minutos: De 15 a 20

Jugadores: 10 (8 jugadores de campo, 2 porteros)

Objetivos: Mejorar la técnica de tirar a puerta desde largas distancias; desarrollar el juego de combinaciones entre compañeros.

Organización: Utilizar señalizadores para aumentar la longitud lateral del área de penalti al doble de su longitud normal, creando un área de juego de 35 m de largo × 40 m de ancho dividido por una línea central. En cada portería reglamentaria se coloca un portero. Es necesario un balón por cada juego más una provisión de balones en cada portería.

Desarrollo: Organizar dos equipos de cuatro jugadores de campo y un portero. Cada equipo coloca tres jugadores de campo y el portero en el campo defensivo y un jugador en el campo del rival, creando una situación de 3 contra 1 en cada campo. Los jugadores solo pueden moverse en su mitad del campo asignada. El juego comienza con el portero distribuyendo el balón a uno de sus tres compañeros ubicados en el campo defensivo, quienes intentan marcar gol al portero rival. El rival en solitario situado en esa mitad del campo intenta evitar los disparos a su portería. Los jugadores solo pueden dar tres toques o menos para pasar, recibir y disparar a puerta. Todos los disparos a puerta han de proceder del campo defensivo del equipo. El cuarto miembro del equipo atacante, ubicado en el campo del rival, puede ir a buscar cualquier rechace del portero y rematar a puerta. Tras cada tiro a puerta o cambio de posesión, el portero defensor vuelve a comenzar el juego distribuyendo el balón a un compañero situado en la zona defensiva del equipo.

Forma de puntuación: Conceder 1 punto por cada disparo a puerta, 2 puntos por cada gol marcado. Gana el equipo que más puntos consiga.

Consejos prácticos: La ventaja 3 contra 1 en cada campo debería permitir múltiples oportunidades de marcar gol desde larga distancia. Fomentar el rápido movimiento del balón para que haya oportunidades de tirar a puerta desmarcado. Hacer hincapié en la adecuada técnica de golpeo con el empeine.

Minutos: 15

Jugadores: De 7 a 11 (2 equipos de igual tamaño de 3 a 5 jugadores más 1 portero neutral)

Objetivos: Mejorar las técnicas para terminar la jugada; ofrecer al portero la oportunidad de practicar las técnicas del guardameta; mejorar la resistencia general.

Organización: Utilizar conos chinos para señalizar un cuadrado de juego de 35 m de lado. Colocar dos banderas o postes en la parte central del área a modo de portería. El portero neutral se sitúa en la portería. Un equipo tiene la posesión del balón. Emplear petos de colores para diferenciar a los equipos.

Desarrollo: Comenzar con un saque central enviando el balón a lo largo de la línea lateral del área. Los equipos pueden marcar en la portería central desde cualquier ángulo, por lo que el portero deberá reajustar constantemente su posición como respuesta a la posición del balón. Después de cada parada, el portero lanza el balón hacia una esquina del área de juego para que los equipos luchen por la posesión. El cambio de posesión se produce después de un gol marcado, cuando el balón sale del área de juego o cuando un equipo defensor roba el balón. El balón que sale del campo vuelve a entrar en juego con un saque de banda. Se aplica todo el reglamento del fútbol salvo la regla de fuera de juego.

Forma de puntuación: Los tiros que entren en la portería por debajo de la altura de la cabeza del portero cuentan como goles marcados. Gana el equipo que marque más goles.

Consejos prácticos: Imponer restricciones a los jugadores (por ejemplo, realizar únicamente pases con dos o tres toques). Para aumentar las oportunidades de marcar gol, incluir en el ejercicio un jugador neutral que siempre juega con el equipo que tiene la posesión para crear una superioridad numérica en el equipo atacante.

Minutos: 15

Jugadores: 6 (2 jugadores en las bandas, 2 delanteros [rematadores], 1 pasador y 1 portero)

Objetivos: Mejorar la técnica para marcar gol a partir de centros al área desde las bandas.

Organización: Jugar en una mitad de un campo reglamentario con una portería de dimensiones normales situada en la línea de meta. Dos laterales (jugadores de banda) se sitúan juntos cerca de la línea central, aproximadamente a 10 m de la línea de banda. Los laterales se turnan para centrar al área. Dos rematadores (delanteros) comienzan cerca de la frontal del área de penalti. El portero se ubica bajo la portería. Un pasador se coloca en el círculo central con una provisión de balones.

Desarrollo: El pasador envía el balón al espacio entre los laterales y la línea de meta. Un lateral corre hacia el balón, lo conduce avanzando unos metros a máxima velocidad y efectúa un centro al área. Los delanteros sincronizan sus movimientos de aproximación (uno al palo corto y otro al segundo palo) para recibir el centro y rematar al primer toque. Después de cada intento, los delanteros regresan a su posición inicial original. Entonces el pasador envía otro balón al hueco para que centre el segundo lateral y se repite el ejercicio. Continuar el ejercicio, alternándose los laterales que efectúan el centro al área, hasta que se agote la provisión de balones. Tras completar la primera ronda, los balones son devueltos al pasador y se repite el ejercicio desde la banda contraria.

Forma de puntuación: Conceder 1 punto por cada tiro a puerta detenido por el portero; conceder 2 puntos por cada gol marcado. El jugador que tenga el mayor número de puntos gana la competición.

Consejos prácticos: Animar a los rematadores para sincronizar sus avances hacia el área de gol para llegar al mismo tiempo que el centro. Este juego es apropiado para jugadores experimentados que tengan la habilidad de centrar al área desde las bandas.

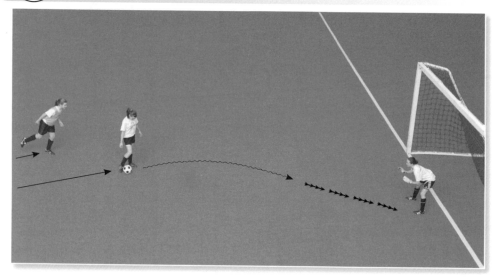

Minutos: de 15 a 20

Jugadores: Número ilimitado (en parejas más 1 o 2 porteros que se turnan para defender la portería)

Objetivos: Mejorar la técnica individual de marcar gol tras una situación de escapada.

Organización: Jugar en un extremo de un campo reglamentario con un portería de dimensiones normales situada en medio de la línea de meta. Utilizar conos para crear una línea paralela a la línea de meta a 30 m de la portería. Los jugadores se emparejan para competir y hay un balón por cada pareja.

Desarrollo: Los compañeros (A y B) se sitúan juntos en la línea de 30 m. A tiene el balón. El jugador A adelanta el balón unos 10 m y corre a por él. El jugador B permanece en la línea de 30 m hasta que A toque de nuevo el balón, momento en que corre hacia delante para defender y evitar que marque gol en la escapada. A debe conducir el balón hasta el área de penalti antes de tirar a puerta. Los jugadores intercambian los puestos después de cada disparo a puerta y repiten el ejercicio.

Forma de puntuación: El rematador obtiene 1 punto por cada gol marcado. El jugador que tenga más puntos tras 25 repeticiones gana el juego.

Consejos prácticos: Animar al rematador a conducir el balón a máxima velocidad hacia la portería para no ser alcanzado por el defensor que lo persigue. Para lograrlo, el rematador debe trazar la trayectoria más directa hacia la portería y efectuar el disparo en el momento más oportuno.

Minutos: 10

Jugadores: 3 (2 rematadores y 1 portero)

Objetivos: Desarrollar la técnica del tiro de volea con potencia y precisión.

Organización: Situar dos conos aproximadamente a 25 m de la portería, separados 10 m entre sí. Colocar cinco o seis balones al lado de cada cono.

Desarrollo: Para comenzar, cada rematador se sitúa en un cono. Tras la indicación de "¡Ahora!", un rematador coge un balón, lo lanza al aire en dirección a la portería, corre hacia él, deja que el balón bote una vez y dispara a puerta de volea. El rematador corre inmediatamente de vuelta hacia el cono, coge otro balón y repite la acción hasta agotar la provisión de balones. En ese momento, el segundo rematador comienza el ejercicio.

Forma de puntuación: Conceder 1 punto por cada tiro dentro de la portería y 2 puntos por cada gol marcado. Jugar varias rondas con un breve descanso entre cada una. El jugador que consiga más puntos gana la competición.

Consejos prácticos: Hacer hincapié en ejecutar una adecuada técnica de disparo a la vez que se realiza el ejercicio a velocidad de partido. Pedir a los tiradores que tiren a puerta alternando el pie de golpeo (izquierdo y derecho). Para aumentar la presión sobre los rematadores, incluir dos jugadores adicionales como pasadores que lanzan el balón desde diferentes ángulos y posiciones.

Minutos: 20

Jugadores: De 10 a 14 (2 equipos de 5 a 7 jugadores)

Objetivos: Desarrollar la técnica de marcar gol chutando un balón que llega de frente y raso; generar competición y diversión en una sesión de tiro a portería.

Organización: Jugar en un extremo de un campo reglamentario con una portería de dimensiones normales en medio de la línea de meta. Dividir el grupo en dos equipos. Los jugadores del equipo 1 comienzan al lado de un poste de la portería; los jugadores del equipo 2 empiezan al lado del otro poste. Situar un cono centrado frente a la portería a 15 m. Cada equipo tiene cerca una provisión de balones.

Desarrollo: Para empezar, un jugador del equipo 1 se sitúa en la portería. El primer jugador de la fila del equipo 2 corre alejándose del poste, rodea el cono situado a 15 m del poste y se gira para situarse de cara a la portería. En ese momento, el segundo jugador de la fila del equipo 2 pasa un balón raso hacia el cono para que su compañero dispare a puerta al primer toque. Después de que el jugador tire a puerta, corre hacia la línea de meta y pasa a ser el portero mientras que el equipo 1 intenta marcar gol de la misma forma. Si el jugador del equipo 2 no consigue llegar a la portería a tiempo, el rematador rival tiene la posibilidad de tirar a puerta vacía, de ahí el nombre del ejercicio. Los equipos compiten durante un tiempo dado o hasta llegar a un número de goles determinado.

Forma de puntuación: Cada gol marcado vale 1 punto. El equipo que marque más goles gana la competición.

Consejos prácticos: Es posible variar el tipo de pase (balón raso, con bote, escorado, etc.) en función del foco principal de la sesión.

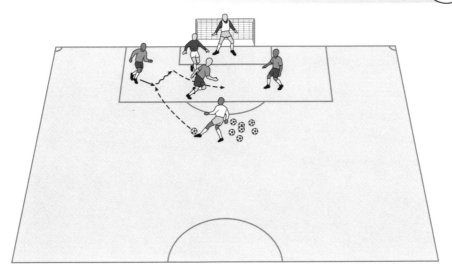

Minutos: De 15 a 20

Jugadores: 6 (3 atacantes, 1 defensor, 1 portero, 1 pasador)

Objetivos: Practicar las técnicas de tiro a puerta bajo las presiones de tiempo limitado y rivales defendiendo; ofrecer al portero posibilidad de entrenarse.

Organización: Jugar dentro del área de penalti de un campo reglamentario. Tres jugadores son designados atacantes, un jugador es defensor y otro es pasador. El portero se sitúa en la portería. El pasador se coloca fuera del arco del área de penalti con un suministro de 10 a 12 balones.

Desarrollo: El pasador comienza a jugar pasando el balón a uno de los atacantes. Los tres atacantes juegan a dos toques para intentar superar al defensor y tirar a puerta. Si el tirador marca, el pasador pasa inmediatamente otro balón a los atacantes y el defensor sigue defendiendo. El tirador no marca si: el tiro sale desviado a un lado o por encima de la portería, da más de dos toques, pierde la posesión o el portero detiene el disparo. El jugador que falla el tiro pasa inmediatamente a ser defensor y el jugador que defendía pasa a ser atacante.

Forma de puntuación: El jugador que marque más goles gana la competición.

Consejos prácticos: Es posible variar el número de toques permitidos a los atacantes para aumentar o disminuir la dificultad de marcar un gol. También se puede añadir un defensor más.

82 Gol en jugada ensayada

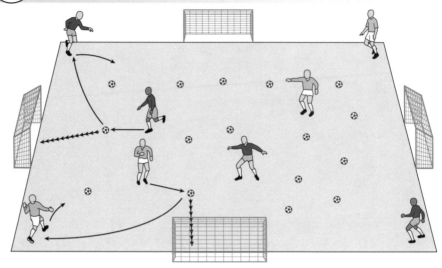

Minutos: 20 minutos (series de minicompeticiones)

Jugadores: 8 (2 equipos de 4)

Objetivos: Incorporar la preparación física en los ejercicios de tiro a puerta; mejorar la habilidad de tirar a puerta en jugadas ensayadas.

Organización: Utilizar conos chinos para señalizar un cuadrado de juego de 45 m. Situar una portería portátil en el punto central de cada línea del cuadrado. Distribuir de 16 a 20 balones en diversas posiciones dentro del área central del campo. Todos los balones han de estar al menos a 15 m de cualquier portería. Organizar dos equipos de cuatro jugadores cada uno. Dos jugadores de cada equipo comienzan dentro del área de juego; los dos jugadores restantes de cada equipo comienzan en una esquina del cuadrado de juego. No hay porteros.

Desarrollo: La competición comienza tras la indicación del entrenador. Las dos parejas de jugadores situados dentro del área compiten entre sí disparando a cualquiera de las cuatro porterías. Después de cada gol, los tiradores deben correr hacia la esquina del campo y tocar a un compañero; este jugador corre inmediatamente al interior del campo para tirar a puerta mientras su compañero descansa en la esquina. La competición continúa con los compañeros alternándose como tiradores hasta agotar el suministro de balones.

Forma de puntuación: Los jugadores llevan la cuenta del número total de goles que marcan. El equipo que marque más goles gana el juego. Disputar una serie sucesiva de juegos.

Consejos prácticos: Es posible modificar las dimensiones del campo para aumentar o disminuir las exigencias físicas del ejercicio. También es posible imponer restricciones a los tiradores, por ejemplo, se puede pedir al tirador que conduzca el balón por lo menos 5 m antes de disparar.

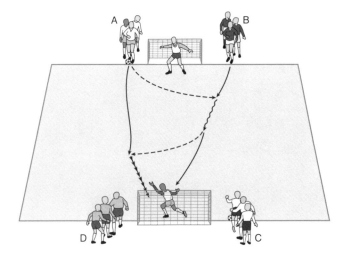

Minutos: 15

Jugadores: 14 (4 grupos de 3 más 2 porteros)

Objetivos: Mejorar la precisión y la potencia del tiro a puerta; atacar junto a un compañero.

Organización: Utilizar conos para señalizar un área de juego de 30 × 40 m. Centrar en cada línea de meta una portería reglamentaria. Organizar cuatro grupos (A, B, C y D) de tres jugadores cada uno; cada grupo se sitúa al lado de un poste. Los grupos A y B están en la misma portería y los grupos C y D están en la portería contraria. El grupo A está situado en diagonal con el C y el B está en diagonal con el D. En cada portería hay un portero.

Desarrollo: El primer jugador del equipo A pasa al primer jugador del grupo B y luego corre hacia la portería contraria. El jugador de B recibe el balón, lo conduce hacia delante de 5 a 10 m y luego lo pasa hacia la trayectoria del jugador A, que controla el balón con el primer toque y tira a puerta con el segundo. El jugador de B sigue el disparo para recoger un posible rechace del portero. Inmediatamente después de intentar marcar, los jugadores van a las filas situadas justo enfrente de la fila original. Los dos primeros jugadores de los grupos C y D repiten el ejercicio avanzando hacia la portería contraria; el jugador C inicia la acción pasando el balón al jugador D. Continuar el ejercicio durante 15 minutos seguidos.

Forma de puntuación: Conceder 1 punto por cada tiro entre los tres palos y 2 puntos por cada gol marcado. El jugador que consiga más puntos gana la competición.

Consejos prácticos: Animar a los jugadores a que realicen el ejercicio a velocidad de partido, aunque no haya defensores en acción. A modo de variación, el pasador puede enviar pases bombeados en la trayectoria del tirador para que este tenga que disparar de volea.

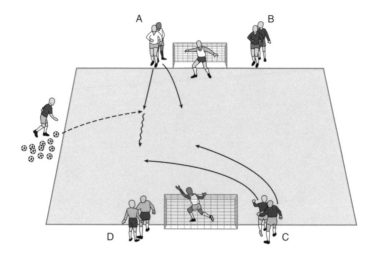

Minutos: 20 minutos (series de juegos de 2 minutos)

Jugadores: 11 (4 equipos de 2 más 2 porteros y 1 pasador)

Objetivos: Combinar con un compañero para crear oportunidades de gol; desarrollar las habilidades de tiro a puerta bajo presiones similares a las de partido; ofrecer al portero la oportunidad de entrenarse; mejorar la preparación física.

Organización: Utilizar conos para señalizar un campo de juego de 30 × 40 m. En cada línea de meta se sitúa una portería en el centro. Organizar cuatro equipos de dos jugadores cada uno. Los equipos A y B comienzan en una línea de meta y los equipos C y D comienzan en la línea contraria. En cada portería hay un portero y un pasador se sitúa en la línea central del campo con un suministro de balones.

Desarrollo: El pasador manda un balón hacia el área de juego; los equipos A y C entran en el campo desde líneas de meta opuestas y compiten por la posesión del balón. El equipo que la gane intenta marcar en la portería del rival mientras que los adversarios defienden. Tras el tiro a puerta, el gol o el balón fuera de juego, el pasador envía otro balón hacia el área y el juego continúa. Jugar ininterrumpidamente durante 2 minutos; luego los equipos B y D sustituyen a A y C y repiten el ejercicio. Disputar una serie de juegos de 2 minutos.

Forma de puntuación: Cada gol marcado vale 1 punto. El equipo que marque más goles gana la ronda.

Consejos prácticos: Animar a los jugadores a atacar con rapidez y a tirar a puerta en cualquier oportunidad. Para mantener a los jugadores activos durante todo el juego es necesario una gran provisión de balones.

Minutos: 20

Jugadores: 12 (2 equipos de 5 jugadores de campo más 2 porteros)

Objetivos: Desarrollar la técnica del tiro a portería con potencia y precisión desde fuera del área de penalti; mejorar la resistencia general; ofrecer al portero la oportunidad de entrenarse.

Organización: Utilizar conos para formar un área de juego rectangular de 40 × 55 m. Situar una portería reglamentaria en el punto medio de cada línea. Emplear señalizadores para dividir más el campo en tres zonas iguales de 35 × 20 m. Organizar dos equipos de cinco jugadores de campo y un portero. Cada equipo defiende una portería. Un equipo comienza con el balón.

Desarrollo: Se comienza con un saque inicial desde el centro del campo. Todos los tiros a puerta han de realizarse en la zona central, a 20 m o más de la portería; se aplican el resto de reglas normales del fútbol. Los jugadores pueden marcar gol desde las zonas de los extremos, pero solo tras un rechace del portero o un rebote en el palo.

Forma de puntuación: Otorgar 3 puntos por gol marcado y 1 punto por un tiro a portería parado por el portero. El equipo que consiga más puntos gana.

Consejos prácticos: Ajustar el tamaño del área de juego a las edades y habilidades de los jugadores. Por ejemplo, pedir a los jugadores menores de 13 años que tiren a puerta desde una distancia de 15 o más metros.

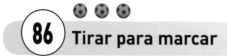
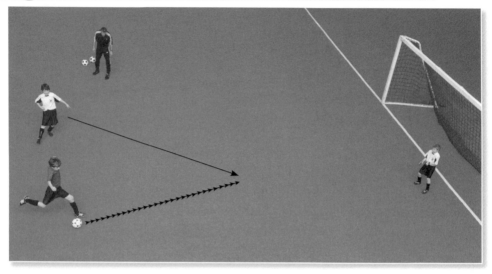

Minutos: De 15 a 20

Jugadores: 4 (2 rematadores, 1 pasador, 1 portero)

Objetivos: Practicar las técnicas para finalizar las jugadas bajo presiones similares a las de partido en cuanto a espacio limitado y cansancio físico; mejorar la preparación física; ofrecer al portero oportunidades de entrenarse.

Organización: Jugar en un extremo de un campo reglamentario con una portería de dimensiones normales. Los jugadores se emparejan para competir; ambos jugadores comienzan dentro del área de penalti. Un pasador se sitúa en el borde del área de penalti con una docena de balones. El portero se sitúa en la portería común.

Desarrollo: Para comenzar, el pasador manda el balón al área de penalti donde los dos jugadores pugnan por la posesión. El jugador que la consiga intenta marcar gol y el rival defiende. El portero intenta detener todos los tiros a puerta. Los jugadores cambian de papel (el atacante pasa a defender y viceversa) en cada cambio de posesión. El juego se detiene momentáneamente después de un gol marcado, cuando el portero hace una parada o cuando el balón sale de banda. El pasador inmediatamente reanuda el juego enviando otro balón al área. Continuar ininterrumpidamente hasta que se agote el suministro de balones. Repetir la ronda con una pareja de jugadores diferente compitiendo dentro del área.

Forma de puntuación: El jugador que marca más goles gana la ronda. Jugar una serie de rondas con un breve descanso entre rondas.

Consejos prácticos: Los jugadores deben reconocer las oportunidades de marcar gol y tirar a puerta en cualquier ocasión. Hacer hincapié en realizar disparos rápidos y precisos más que potentes.

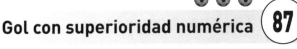

Minutos: 20

Jugadores: 12 (2 equipos de 5 jugadores más 2 porteros)

Objetivos: Desarrollar la técnica de marcar gol mediante combinaciones de pases; mejorar la habilidad para marcar gol bajo presiones similares a las de partido.

Organización: Utilizar conos para señalizar un área de juego de 55 × 35 m dividida por una línea central. Crear dos equipos de cinco jugadores de campo y un portero. Situar una portería reglamentaria en el centro de cada línea de meta. Designar tres atacantes y dos defensores en cada equipo. Los atacantes juegan en la mitad del campo del rival; los defensores juegan en sus respectivos campos (el más cercano a la portería que defienden). Esta formación da pie a una situación de 3 contra 2 en cada mitad del campo. En cada portería hay un portero; emplear petos de colores para diferenciar a los equipos. Uno de los porteros tiene el balón para comenzar.

Desarrollo: El portero comienza el juego distribuyendo el balón a un compañero ubicado en la mitad ofensiva del campo. Cada equipo defiende una portería e intenta marcar gol en la portería del rival. Atacantes y defensores están limitados a su mitad del campo asignada. Un defensor que recupera el balón inicia un contraataque pasando a un compañero (atacante) ubicado en el campo contrario. El equipo que encaja un gol obtiene la posesión del balón y reanuda el juego.

Forma de puntuación: El equipo que marque más goles gana el ejercicio.

Consejos prácticos: A modo de variación es posible imponer restricciones. Por ejemplo, requerir únicamente pases de tres toques o permitir exclusivamente los goles al primer toque. Este ejercicio es más apropiado para los jugadores maduros que tienen la habilidad y experiencia de combinar con acierto los pases a los compañeros.

Minutos: De 20 a 25

Jugadores: De 8 a 12 (2 equipos iguales de 4 a 6)

Objetivos: Marcar gol con tiros de volea; desarrollar resistencia general.

Organización: Utilizar conos para señalizar un área de juego rectangular de 55 × 35 m. Situar una portería reglamentaria en el centro de cada línea de meta. Formar dos equipos con el mismo número de jugadores. Un equipo tiene la posesión para comenzar el juego. Emplear petos de colores para diferenciar los equipos. No hay porteros.

Desarrollo: Cada equipo defiende una portería. Los jugadores se pasan el balón entre sí lanzando (y cogiendo) con las manos en lugar de con el pie. No pueden dar más de cinco pasos con el balón antes de soltarlo a un compañero. El cambio de posesión ocurre cuando un jugador rival intercepta un pase, el balón sale del campo tocado por un atacante, el balón toca el suelo, un jugador da más de cinco pasos con el balón o se marca un gol. Los puntos se obtienen marcando en la portería rival con una volea tras el pase de un compañero. Los jugadores no pueden lanzarse el balón a sí mismos para ejecutar la volea a portería. Aunque no hay porteros, todos los jugadores pueden emplear las manos para coger el balón e interceptar los pases y tiros a puerta.

Forma de puntuación: El equipo que marque más goles gana.

Consejos prácticos: Animar a los jugadores a subir y bajar por el campo como una unidad compacta, apoyándose unos a otros y ofreciéndose a los pases. Dado que para realizar disparos de volea completa es necesario una sincronización y una técnica adecuadas, este ejercicio puede no ser apropiado para los jugadores más jóvenes y faltos de experiencia.

Minutos: 20

Jugadores: 14 (2 equipos de 6 más 2 porteros)

Objetivos: Practicar el ataque con velocidad en situaciones de superioridad numérica; defender en situación de inferioridad numérica.

Organización: Jugar en un campo de 30 × 20 m con una portería reglamentaria ubicada en medio de cada línea de meta (porterías A y B). Un portero se sitúa en cada portería. Emplear petos de colores para diferenciar a los equipos. Para comenzar, dos jugadores del equipo 2 se colocan defendiendo la portería B. El equipo 1 y el resto de jugadores del equipo 2 comienzan en la misma línea de meta, cada uno a un lado de la portería. Poner un suministro de balones dentro de cada portería. El equipo 1 tiene el balón para comenzar el juego.

Desarrollo: Tres jugadores del equipo 1 avanzan desde la línea de meta para atacar la portería B, defendida por dos jugadores del equipo 2 y un portero. Inmediatamente después de un tiro a puerta, un tiro que sale del campo o un balón robado por un defensor, el portero de la portería B distribuye el balón hacia los dos defensores originales (equipo 2), que inmediatamente atacan la portería A. Uno de los tres atacantes originales del equipo 1 baja a defender la portería A, creando una ventaja numérica de 2 contra 1 para el equipo 2 cuando contraatacan hacia la portería A. Los otros dos atacantes del equipo 1 permanecen cerca de la línea de meta (portería B) para defender la portería B en la siguiente ronda. Justo después del ataque sobre la portería A, tres jugadores del equipo 2 avanzan de la línea de meta para atacar la portería B, que ahora está defendida por dos jugadores del equipo 1. El juego continúa de una línea de meta a la otra, con un ataque 3 contra 2 sobre la portería B y un contraataque 2 contra 1 en la portería A.

Forma de puntuación: Otorgar 1 punto por cada gol marcado. El equipo que marque más goles gana el juego.

Consejos prácticos: Hacer hincapié en realizar una transición inmediata entre el ataque y la defensa.

Minutos: 20

Jugadores: 8 (3 equipos de 2, 1 jugador neutral y 1 portero)

Objetivos: Penetrar ofensivamente en situación de inferioridad numérica (menor número de jugadores); practicar el tiro a puerta bajo presiones similares a las de partido; desarrollar resistencia.

Organización: Jugar en un extremo de un campo reglamentario con una portería de dimensiones normales ubicada en medio de la línea de meta. Formar tres equipos de dos jugadores cada uno. Todos los equipos comienzan dentro del área de penalti, junto con un jugador neutral que juega siempre con el equipo que tiene el balón. Emplear petos de colores para diferenciar a los equipos. El portero se sitúa bajo los palos. Hace falta un balón para cada juego; situar balones adicionales dentro de la portería.

Desarrollo: El portero inicia el juego lanzando el balón fuera del área de penalti y los tres equipos pugnan por la posesión. El equipo que obtiene el balón ataca la portería; los otros dos equipos defienden. El jugador neutral se une al equipo atacante para crear una situación de 3 contra 4. Si un defensor roba el balón, su equipo pasa inmediatamente al ataque e intenta marcar gol. El portero intenta detener todos los tiros a puerta. Tras un gol o una parada del portero o si el balón sale fuera del campo, el portero reanuda el juego lanzando otro balón fuera del área de penalti para que los equipos vuelvan a luchar por la posesión.

Forma de puntuación: Otorgar 1 punto por un tiro entre los tres palos y 2 puntos por un gol marcado. El equipo que consiga más puntos gana.

Consejos prácticos: El equipo ofensivo en inferioridad numérica (3 contra 4) ha de intentar superar a los defensores realizando pases al primer y segundo toque junto con regates creativos. La pared también es una táctica efectiva en una situación de inferioridad numérica.

Capítulo **6**

Juegos de remate de cabeza

El fútbol es el único deporte en el que los jugadores literalmente utilizan su cabeza para impulsar el balón. La habilidad para cabecear el balón con potencia y precisión ha adquirido cada vez mayor importancia en el fútbol moderno, en el que las defensas están altamente organizadas para evitar que los rivales penetren ofensivamente mediante pases o regates. En esos ejemplos, colgar el balón por encima del muro de defensores puede ser un medio eficaz de crear oportunidades de gol por el aire. Dicho esto, el dominio del juego aéreo es esencial para todos los jugadores de campo, dado que las técnicas de jugar el balón con la cabeza pueden ser empleadas tanto con fines ofensivos como defensivos. Se suelen utilizar tres técnicas; cada una de ellas es practicada en una situación específica y con un fin ligeramente distinto.

El *cabeceo en salto* normalmente es empleado cuando se salta por encima de un rival que también está intentando golpear el balón de cabeza. El jugador salta con las dos piernas, arquea la parte superior del cuerpo para luego, con un movimiento de cintura, abalanzarse hacia delante y golpear el balón con la superficie plana de la frente. Las oportunidades de gol pueden originarse en los centros al área desde las bandas, los saques de esquina, los saques de falta y en largos saques de banda. El balón, en el intento de marcar gol, ha de ser cabeceado en un plano oblicuo hacia la línea de meta, ya que es la parada más difícil para el portero.

La técnica es levemente distinta cuando es utilizada con fines defensivos, como cuando se intenta despejar un balón colgado hacia el área propia. En estas situaciones, el balón ha de ser cabeceado alto, lejos y, preferiblemente, hacia una banda del campo, lejos de la zona ofensiva más peligrosa que es la zona frontal y central del área. Un despeje de este tipo imposibilita a los rivales el disparo a puerta inmediato y también permite a los defensores el tiempo necesario para reorganizarse.

El *remate de cabeza en plancha* es una maniobra acrobática que puede emplearse para marcar gol tras un pase a media altura que recorre el área o para despejar un centro al área del rival. Para ejecutar esta maniobra, el jugador se lanza en plancha paralelo al suelo con la cabeza erguida e inclinada hacia atrás. Se hace contacto con el balón con la superficie plana de la frente, con los brazos y manos extendidos hacia abajo para amortiguar el impacto de la caída.

"Peinar" el balón es la tercera opción y se utiliza para alterar el vuelo del balón permitiendo que continúe su movimiento en la misma dirección. Esta técnica se utiliza más frecuentemente en situaciones ofensivas para modificar la trayectoria de un centro. Para llevar a cabo esta técnica, un jugador se desplaza para interceptar el vuelo del balón, inclina la cabeza hacia atrás y permite que el balón toque en la parte superior de su frente. Esta acción provoca un cambio repentino en la trayectoria del balón, lo que puede causar problemas a los defensores.

Los juegos de remate de cabeza descritos en este capítulo pueden adaptarse para practicar todas las técnicas de cabeceo previamente explicadas, en función del objetivo de la sesión de entrenamiento. En el nivel competitivo de los más jóvenes (12 años y menores) el juego de cabeza es probablemente la habilidad menos utilizada. Las técnicas de pase, recepción y tiro a puerta tienen lugar mucho más a menudo durante los partidos, por lo que el entrenador de jóvenes no necesita dedicar mucho tiempo al desarrollo de las habilidades de cabeceo. Sin embargo, a medida que los jugadores maduran y progresan a niveles de juego más avanzados, la habilidad de cabecear con potencia y precisión se vuelve más importante a la hora de determinar el resultado de un partido. El grado de énfasis en las técnicas de cabeceo durante las sesiones de entrenamiento deberá reflejar este hecho. La práctica de las habilidades de cabeceo no debe ser una prioridad para jugadores de 10 años y menores, aunque, por motivos de seguridad, es recomendable presentarles, al menos, los fundamentos del juego de cabeza.

Los jugadores han de encarar el balón que se les acerca con los hombros rectos. Cuando el balón llega, deben saltar con las dos piernas y el tronco arqueado hacia atrás desde la cintura, la barbilla baja contra el pecho y el cuello firme. Luego deben mover rápidamente el tronco (desde la cintura) hacia delante y contactar el balón con la superficie plana de la frente justo por encima de las cejas. Recuerde a los más jóvenes que deben mantener los ojos abiertos (¡para ver el balón!) y la boca cerrada en el momento del contacto. No es raro que los jugadores más jóvenes tengan dificultades para coordinar la sincronización del salto con la técnica correcta de cabeceo, por lo que es mejor enseñar la habilidad por fases; en primer lugar, se enseña a cabecear el balón con los pies pegados al suelo y posteriormente, según mejoran el golpeo, avanzar hasta llegar al salto y cabezazo.

Minutos: 10

Jugadores: Número ilimitado (en grupos de 3)

Objetivos: Desarrollar las técnicas de cabeceo necesarias para marcar goles.

Organización: Utilizar conos chinos para señalizar un área de 10 × 15 m para cada grupo. Emplear banderas o discos para representar una portería de 3,5 m de ancho en un extremo del área. Un jugador se sitúa de portero en la portería; otro se coloca a un lado como pasador y el tercero se sitúa frente a la portería, a 7 m, como rematador. Utilizar un balón.

Desarrollo: El pasador lanza el balón hacia arriba para que caiga cerca del centro del área. El cabeceador evalúa el vuelo del balón, avanza e intenta marcar de cabeza rematando para superar al portero. Jugar ininterrumpidamente durante 10 minutos.

Forma de puntuación: Otorgar 2 puntos por cada gol marcado y 1 punto por cada remate de cabeza entre los tres palos detenido por el portero. El jugador que consiga más puntos al final del juego gana.

Consejos prácticos: Animar a los jugadores a que salten pronto, se mantengan en el aire y cabeceen el balón hacia abajo a una esquina de la portería. Hacer hincapié en la adecuada forma del cabeceo (tronco arqueado hacia atrás, barbilla metida, cuello recto, golpeo del balón con la frente). Permitir a los más jóvenes que golpeen el balón con los dos pies en el suelo; pedir a los jugadores más avanzados que salten para rematar de cabeza.

Minutos: 10

Jugadores: Número ilimitado (en grupos de 3)

Objetivos: Mejorar la técnica de remate de cabeza en salto; aumentar la fuerza y potencia de las piernas.

Organización: Dos jugadores (pasadores 1 y 2) se sitúan a una distancia de 10 m, cada uno con un balón. Un tercer jugador se coloca entre los pasadores.

Desarrollo: El pasador 1 lanza el balón hacia arriba en la dirección del jugador central, ligeramente por encima de la altura de la cabeza. El jugador central salta hacia arriba y cabecea el balón de vuelta al pasador e inmediatamente gira 180 grados para saltar y cabecear el balón lanzado por el pasador 2. Continuar a máxima velocidad durante 30 cabezazos consecutivos, después de lo cual el jugador central cambia de puesto con uno de los pasadores. Repetir el ejercicio hasta que cada jugador haya tenido un mínimo de dos turnos como cabeceador.

Forma de puntuación: Conceder 1 punto por cada balón cabeceado de vuelta al pecho del pasador. El jugador que consiga más puntos gana.

Consejos prácticos: Los jugadores han de saltar verticalmente (no hacia delante), arquear hacia atrás la parte superior del tronco antes de la llegada del balón y luego abalanzarse hacia delante para golpear el balón con la frente. Animar a los jugadores a que mantengan la cabeza recta con los ojos abiertos y la boca cerrada en el momento de golpear el balón. Los jugadores más jóvenes pueden cabecear el balón con los pies en el suelo.

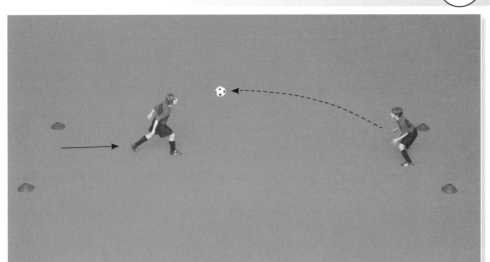

Minutos: 15

Jugadores: Número ilimitado (en parejas)

Objetivos: Desarrollar la técnica de cabeceo en salto.

Organización: Los jugadores forman parejas para competir. Utilizar conos para formar un área rectangular de 10 × 15 m para cada pareja. Colocar banderas o discos a modo de porterías en cada extremo. Los jugadores se sitúan frente a frente en porterías contrarias. El jugador 1 tiene el balón para comenzar el juego.

Desarrollo: El jugador 1 lanza el balón hacia arriba para que caiga cerca del centro del área. El jugador 2 avanza desde su línea de meta, salta e intenta marcar gol en la portería contraria superando al jugador 1. Los jugadores regresan a sus porterías correspondientes después de cada cabezazo y cambian el turno. Repetir 50 veces de modo que cada jugador realiza 25 cabezazos a portería.

Forma de puntuación: Conceder 1 punto por cada gol marcado. El jugador que consiga más puntos gana la competición.

Consejos prácticos: Para cabecear el balón con potencia, animar a los jugadores a que arqueen el tronco hacia atrás desde la cintura y lo muevan con ímpetu hacia delante para golpear el balón. Deben mantener el cuello y la cabeza firmes en el momento del contacto.

Minutos: 10

Jugadores: Número ilimitado (en equipos de igual tamaño de 4 a 6 jugadores)

Objetivos: Mejorar la técnica de cabeceo.

Organización: Los equipos se colocan en fila, una al lado de otra, con una separación entre filas de al menos 5 m. Un jugador de cada equipo actúa como pasador y se sitúa dos metros por delante del equipo, de cara al primer jugador de la fila. Cada pasador tiene un balón.

Desarrollo: Tras la indicación del entrenador, los pasadores envían el balón a la altura de la cabeza al primer jugador de la fila, que lo cabecea de vuelta al pasador e inmediatamente se arrodilla. El pasador coge el balón y lo vuelve a enviar al segundo jugador de la fila, que también lo devuelve de cabeza y se arrodilla. Los pasadores continúan la acción con el resto de jugadores del equipo hasta que todos hayan cabeceado y se hayan arrodillado. El equipo cuyos jugadores se hayan arrodillado antes, gana. Luego, los jugadores de todos los equipos se ponen de pie y rotan de posición para la siguiente ronda. El pasador original va al final de la fila y el primer jugador de la fila se convierte en pasador, de modo que cada jugador avanza un puesto hacia delante.

Forma de puntuación: El primer equipo que gane seis rondas gana la competición.

Consejos prácticos: Aunque los jugadores deben completar la carrera de cabezazos lo más rápido posible, no deben buscar únicamente velocidad a expensas de una técnica de cabeceo adecuada. Animar a los jugadores a concentrarse en todo momento en ejecutar una técnica de cabeceo correcta.

Minutos: De 5 a 10

Jugadores: Número ilimitado (en equipos de 4)

Objetivos: Practicar la técnica adecuada de cabeceo del balón con la parte plana de la frente.

Organización: Organizar equipos de cuatro jugadores. Cada equipo se sitúa dentro de un cuadrado de juego de 10 m de lado. Cada equipo tiene un balón.

Desarrollo: El jugador con el balón lo lanza al aire hacia un compañero para comenzar el juego. Los compañeros deben mantener el balón en el aire el mayor número de toques posible, utilizando únicamente la cabeza. Si el balón cae al suelo, el equipo debe comenzar la cuenta desde cero. El equipo que mantenga el balón en el aire con el mayor número de toques gana el juego.

Forma de puntuación: Cada equipo cuenta el número de cabezazos consecutivos. El equipo que realice más cabezazos seguidos gana la competición.

Consejos prácticos: Los jugadores deben golpear el balón con la superficie plana de la frente, dirigiendo el balón hacia un compañero que prosigue el circuito de cabeceo. Los jugadores deben flexionar ligeramente las rodillas y mantener los ojos abiertos y la boca cerrada en el momento de golpear el balón.

96) Marcar gol a partir de un balón aéreo

Minutos: 10

Jugadores: 9 (4 equipos de 2 jugadores cada uno más 1 portero)

Objetivos: Practicar el remate a puerta de balones colgados al área.

Organización: Jugar en un extremo de un campo reglamentario con una portería de dimensiones normales situada en la línea de meta. Los jugadores forman parejas para crear equipos de dos jugadores. Un jugador de cada equipo comienza como pasador detrás de la portería con un balón en los pies. Su compañero se sitúa en el lado opuesto de cara a la portería, cerca de la frontal del área. El portero neutral se coloca bajo los palos.

Desarrollo: Para comenzar, el pasador envía el balón por encima del larguero hacia el área de penalti. Su compañero corre hacia delante e intenta marcar gol rematando de cabeza el centro. La jugada no es válida si el balón no supera el travesaño, si no cae dentro del área de penalti o si bota antes de ser cabeceada a puerta. Los compañeros cambian de lugar después de cada intento. Continuar durante 10 minutos.

Forma de puntuación: Cada gol marcado cuenta como 1 punto. La pareja con más puntos tras 10 minutos gana el juego.

Consejos prácticos: Este juego no es apropiado para los jugadores más jóvenes que no tienen la habilidad de picar el balón por encima del larguero dentro del área.

Minutos: 10

Jugadores: Número ilimitado (en grupos de 3 más 1 pasador)

Objetivos: Practicar la técnica de cabeceo defensivo (despejar el balón lejos y alto).

Organización: Utilizar conos chinos para señalizar dos líneas de meta paralelas a una distancia de 10 m y aproximadamente de 10 m de longitud. Un jugador se sitúa entre las líneas, en la zona media, y los otros dos jugadores se colocan cubriendo las líneas de meta; el pasador tiene una provisión de balones en un lado de la zona central.

Desarrollo: El pasador lanza un balón aéreo hacia uno de los jugadores situados en las líneas de meta que intenta despejarlo de cabeza por encima del jugador en la zona media hacia el jugador de la otra línea de meta. Los jugadores cambian de puesto y repiten. Continuar durante un tiempo determinado o hasta que cada jugador complete un número dado de cabezazos.

Forma de puntuación: Cada balón cabeceado por encima del jugador central que sea recibido por el jugador de la línea de meta contraria recibe 1 punto. El jugador que obtiene el mayor número de puntos gana la competición.

Consejos prácticos: Cuando despejan un balón, los jugadores deberán intentar hacerlo alto y lejos, alejándolo de una portería imaginaria.

98) Competición de cabezazos por equipos

Minutos: 15

Jugadores: Número ilimitado (2 equipos de igual tamaño)

Objetivos: Mejorar la técnica de los jugadores para marcar gol mediante cabezazos en salto y cabezazos en plancha.

Organización: Jugar en un extremo de un campo reglamentario con una portería de dimensiones normales sobre la línea de meta. Dividir el grupo en dos equipos, A y B. Los jugadores del equipo A se sitúan en uno de los postes y los jugadores del equipo B se sitúan en el otro poste. Cada equipo cuenta con un conjunto de balones.

Desarrollo: Un jugador del equipo B comienza en la portería y el equipo A comienza la competición. El primer jugador en la fila del equipo A sale corriendo desde el poste, rodea el punto de penalti (a 11 m de la portería) y se gira para correr hacia la portería. Cuando se está acercando, el segundo jugador en la fila del equipo A lanza un balón bombeado al centro del área, a 7-9 m de la portería para que su compañero remate a puerta con la cabeza. Justo después, el jugador que ha rematado corre hacia la línea de meta y pasa a ser el portero. El equipo B intenta marcar gol de la misma forma. Los equipos compiten entre sí durante un tiempo determinado o hasta lograr un número de goles dado.

Forma de puntuación: Cada balón cabeceado que supera al portero vale 1 punto. El equipo que consiga más puntos gana la competición.

Consejos prácticos: Es posible variar el tipo de cabezazo (por ejemplo, requerir exclusivamente cabezazos en plancha, solo cabezazos en salto, etc.).

Minutos: De 10 a 15 (o el tiempo necesario para lograr un número predeterminado de puntos)

Jugadores: Número ilimitado (en equipos de 3 a 5 más 2 pasadores y 1 portero)

Objetivos: Desarrollar la habilidad para marcar goles acrobáticos empleando la técnica de cabezazo en plancha.

Organización: Jugar en un extremo de un campo reglamentario con una portería de dimensiones normales situada en el centro de la línea de meta. Dividir el grupo en equipos de igual número de jugadores. Los equipos forman filas una al lado de otra aproximadamente a 15 m de distancia de la portería. Dos pasadores se colocan a ambos lados de la portería, a unos 5 m de la portería y a 5 m de la línea de meta. Cada pasador tiene una provisión de balones. El portero neutral se coloca dentro de la portería.

Desarrollo: Los pasadores, por turnos, envían balones al área con una trayectoria paralela al suelo hacia un punto en el centro y enfrente de la portería, a unos 7-9 m. Los pases deberán ser de 2 a 3 m de alto. Los jugadores se turnan para intentar marcar gol mediante un cabezazo corriendo hacia delante y tirándose en plancha para golpear el balón. Continuar el ejercicio hasta que cada jugador haya intentado al menos 8 cabezazos en plancha.

Forma de puntuación: Conceder 2 puntos por cada gol marcado y 1 punto por un balón entre los tres palos parado por el portero. El equipo que marque más goles gana.

Consejos prácticos: Es especialmente divertido practicar los cabezazos en plancha en un campo empapado. Es fundamental realizar la técnica adecuada para evitar las lesiones. Animar a los jugadores a lanzarse hacia delante en paralelo al suelo con la cabeza inclinada hacia atrás y el cuello firme. Contactar el balón con la parte plana de la frente, con los ojos abiertos y la boca cerrada. Los brazos y las manos deberán extenderse hacia abajo para amortiguar el impacto con el suelo. Este juego no es recomendable para los jugadores más jóvenes (de 10 años y menos) que carecen de la fuerza y la coordinación adecuadas.

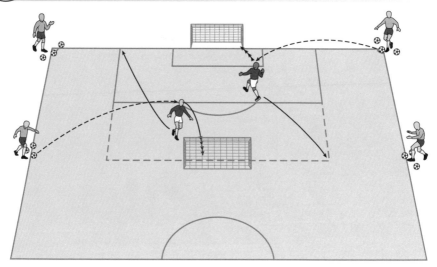

(100) Gol de cabeza 1 contra 1

Minutos: 20 (series de rondas de 2 minutos)

Jugadores: 6 (4 pasadores y 2 cabeceadores)

Objetivos: Mejorar la técnica para marcar gol de cabeza tras centros desde las bandas; mejorar la preparación física en un juego competitivo de remate de cabeza.

Organización: Jugar en un extremo de un campo reglamentario. Utilizar conos para aumentar el área de penalti hasta el doble de su profundidad (33 m); colocar una portería de dimensiones normales en la línea de meta y en la frontal del área extendida. Un pasador se sitúa en cada esquina del campo, cada uno con cuatro o cinco balones. Los cabeceadores comienzan en extremos opuestos del área de juego, cerca de cada portería.

Desarrollo: Tras la señal de "¡Ahora!", los cabeceadores corren hacia las porterías rivales. Cuando entran en la mitad contraria del campo, uno de los pasadores situado en esa zona centra al área para que el jugador remate de cabeza en busca del gol. Tras intentar el gol de cabeza, los jugadores inmediatamente se giran y corren hacia la portería opuesta (su portería original) para repetir la acción. Continuar el ejercicio hasta que se agoten los balones; en ese momento, los jugadores en el centro (cabeceadores) cambian de posición con dos pasadores y se repite el juego. Continuar hasta que todos los jugadores hayan sido cabeceadores una ronda.

Forma de puntuación: Cada gol marcado de cabeza vale 1 punto. El jugador que marque más goles gana la ronda.

Consejos prácticos: Animar a los jugadores a que realicen el ejercicio a máxima velocidad e intensidad para mejorar su estado de forma, así como su técnica de remate de cabeza. Si los pasadores tienen problemas para centrar con precisión, estrechar el campo e indicarles que lancen el balón con las manos desde las bandas.

Minutos: 15

Jugadores: 8 (3 atacantes, 2 defensores, 2 pasadores, 1 portero)

Objetivos: Mejorar la técnica para rematar a puerta los centros desde las bandas; ofrecer al portero la oportunidad de entrenarse con balones centrados al área.

Organización: Jugar en un extremo de un campo reglamentario con una portería de dimensiones normales en la línea de meta. Organizar un equipo ofensivo de tres jugadores y un equipo defensivo de dos jugadores y el portero se coloca en la portería. Comenzar con un pasador en cada línea de banda del campo, aproximadamente a 15 m de la línea de meta, con una provisión de balones.

Desarrollo: El equipo atacante de tres jugadores comienza en la frontal del área de penalti. Los dos defensores comienzan en el punto de penalti. El juego comienza cuando uno de los pasadores conduce el balón de 7 a 9 m hacia la línea de fondo y cuelga el balón al centro del área frente a la portería. Los tres atacantes intentan marcar gol de cabeza; los defensores intentan despejar el balón fuera del área. Después de cada intento, todos los jugadores vuelven a sus posiciones originales y repiten. Los pasadores se alternan en los centros al área. Tras un número determinado de repeticiones, los defensores y los atacantes intercambian puestos.

Forma de puntuación: Otorgar 1 punto por cada gol marcado. El grupo de tres que marque más goles de cabeza gana la competición.

Consejos prácticos: Este juego engloba muchas de las presiones que los jugadores experimentan en el juego real (por ejemplo, a los defensores que luchan por el balón), por lo que el grado de dificultad es bastante elevado. No es un ejercicio apropiado para los jugadores más jóvenes que no tienen la habilidad o la fuerza para enviar centros al área desde las bandas.

(102) Cabezazos en plancha hacia múltiples porterías

Minutos: 15

Jugadores: De 10 a 12 (2 equipos de igual tamaño)

Objetivos: Mejorar la habilidad para marcar de cabeza; trabajar las técnicas de cabeceo en una actividad grupal.

Organización: Realizar la actividad en un área de juego cuadrada. Utilizar conos para representar seis porterías pequeñas, cada una de 3 m de ancho, situadas de forma aleatoria en el campo. Formar dos equipos con el mismo número de jugadores diferenciados por petos de colores. Un equipo recibe el balón para comenzar a jugar. No hay porteros.

Desarrollo: Los equipos pueden marcar desde cualquier lado de las seis porterías y deben defender las seis porterías. El pase y la recepción entre compañeros se realizan lanzando y cogiendo el balón con las manos en lugar de con los pies. Los jugadores del equipo con la posesión solo pueden dar cinco o menos pasos antes de pasar el balón a un compañero. La pérdida de posesión a favor del rival ocurre si un jugador da más de cinco pasos con el balón, si el balón se cae al suelo o si un defensor intercepta un pase. Todos los goles han de ser marcados de cabezazo en plancha.

Forma de puntuación: El equipo que marca más goles gana el juego.

Consejos prácticos: Hacer hincapié en la adecuada técnica para cabecear en plancha. Los jugadores han de lanzarse hacia delante para golpear el balón con la cabeza inclinada hacia atrás, el cuello firme y la cabeza recta. El balón es golpeado con la superficie plana de la frente. Las manos y los brazos están extendidos hacia abajo para amortiguar la caída al suelo. Este juego es apropiado únicamente para los jugadores más mayores y experimentados.

Minutos: 15

Jugadores: De 12 a 16 (2 equipos de 4 a 6 jugadores más 4 jugadores neutrales)

Objetivos: Marcar gol de cabeza y desarrollar la resistencia.

Organización: Utilizar conos para formar un área rectangular de 35 × 45 m. Colocar una portería de 3,5 m de ancho en el punto medio de cada línea de meta. Organizar dos equipos de cuatro a seis jugadores cada uno. Designar cuatro jugadores neutrales adicionales; siempre irán con el equipo que tenga la posesión. Utilizar petos de colores para diferenciar a los equipos y a los jugadores neutrales. Un equipo recibe la posesión para comenzar el juego. No hay porteros.

Desarrollo: Cada equipo defiende una portería y puede marcar en la portería del rival. Los jugadores se pasan el balón con las manos en lugar de con el pie. Pueden dar hasta cuatro pasos con el balón antes de pasarlo a un compañero. La violación de la regla de los cuatro pasos implica la pérdida de la posesión a favor del equipo rival. Los jugadores neutrales se unen al equipo que tiene la posesión para crear una superioridad de cuatro jugadores para el equipo atacante. No hay porteros, pero todos los jugadores pueden interceptar los pases o detener los tiros con las manos. Los puntos se consiguen cabeceando a gol un balón pasado por un compañero. Los defensores obtienen la posesión del balón cuando interceptan un pase del equipo rival, cuando un rival deja caer el balón al suelo, cuando un rival da más de cuatro pasos con el balón o cuando el balón es enviado fuera de banda por un contrincante.

Forma de puntuación: Gana el equipo que consiga más puntos.

Consejos prácticos: El movimiento del jugador ha de simular los dibujos empleados en el fútbol real. Los miembros del equipo han de atacar y defender en grupo. Los jugadores han de posicionarse en zonas abiertas respecto al compañero con el balón para crear buenas líneas de pase. Hacer hincapié en ejecutar una adecuada técnica de cabeceo. Los jugadores han de cabecear el balón en un plano descendente hacia la línea de meta cuando intenten marcar gol. Este ejercicio es más apropiado para los jugadores más mayores y experimentados que han desarrollado las adecuadas habilidades de remate de cabeza.

(104) Solo goles de cabeza en un 5 contra 2 y 5 contra 2

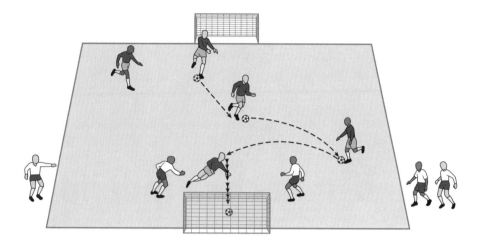

Minutos: 20

Jugadores: 10 (2 equipos de 5)

Objetivos: Mejorar la habilidad para finalizar de cabeza los centros al área; practicar los centros al área desde las bandas.

Organización: Jugar en un área de 45 × 54 m con una portería de dimensiones normales en el punto medio de cada línea de meta. Organizar dos equipos de cinco jugadores. Cada equipo defiende una portería y puede marcar en la portería del rival únicamente de cabeza. Un equipo recibe la posesión del balón para comenzar. No hay porteros.

Desarrollo: Se aplican las reglas habituales del fútbol. El equipo con el balón ataca la portería del rival; el equipo defensor defiende solo con dos jugadores (los otros tres miembros del equipo salen del campo) para crear una superioridad de 5 contra 2 para el equipo atacante. El equipo atacante debe marcar rematando de cabeza los centros enviados desde las bandas o los balones colgados al área desde lejos. Después de cada remate a puerta o gol marcado tiene lugar un cambio de posesión y el equipo que atacaba pasa a defender su portería con dos jugadores (cada vez que un equipo defiende se elige una pareja diferente). Jugar durante 20 minutos.

Forma de puntuación: Cada gol marcado de cabeza recibe 1 punto. El equipo que consigue más puntos gana el juego.

Consejos prácticos: Animar a los jugadores a buscar los espacios abiertos para luego centrar al área. Los atacantes han de sincronizar sus aproximaciones al área para cabecear los centros de sus compañeros. Añadir porteros para que sea más difícil marcar gol.

Capítulo 7

Juegos de táctica individual y en pequeños grupos

Las tácticas en el fútbol implican tomar decisiones, resolver problemas y jugar en combinación con compañeros. Decisiones como cuándo soltar el balón, dónde colocarse en relación al balón y a los compañeros, cómo defender en situaciones de inferioridad numérica y cuándo disparar a puerta, regatear o pasar en situaciones específicas son simplemente unos pocos ejemplos de las múltiples opciones que se abren ante los jugadores en un partido de fútbol. La habilidad para realizar juicios acertados en décimas de segundo bajo las presiones de la competición es tan importante como ser capaz de ejecutar las habilidades necesarias en dichas situaciones. Los jugadores que suelen tomar las decisiones apropiadas son los que cosechan el mayor éxito.

En fútbol no hay especialistas ofensivos ni defensivos. Todos los jugadores de campo deben defender cuando los rivales tienen el balón y sumarse al ataque cuando su equipo tiene la posesión. Lo más importante, los jugadores deben estar preparados y ser capaces de realizar transiciones inmediatas de una función a la otra. El ataque individual y de equipo implica la participación coordinada del primer, segundo y tercer atacantes. El objetivo principal es colocar más atacantes que defensores en las proximidades del balón para crear lo que normalmente se describe como situación de superioridad numérica para luego aprovechar dicha ventaja. El jugador con el balón, el primer atacante, es el punto inicial de la táctica ofensiva. El papel principal del segundo atacante es posibilitar una opción inmediata de pase, o apoyo, al jugador con el balón. Desempeña un papel importante a la hora de realizar paredes, triangulaciones y las maniobras en que se dobla por la banda. La función del tercer atacante es la de ofrecer opciones de pase lejos del balón, normalmente mediante carreras en diagonal a través de la defensa o ganando la espalda de los defensores.

El defensor más cerca del balón, quien normalmente recibe el nombre de primer defensor, es responsable de realizar una presión inmediata sobre la punta de ataque para imposibilitar la posible penetración mediante pase o regate. El segundo defensor (cobertura) se sitúa para proteger el espacio a un lado y por detrás del primer defensor. Si el primer defensor es superado por el atacante, el defensor de cobertura puede avanzar para cerrar el paso al atacante y evitar la penetración. El segundo defensor también está en posición para cortar los pases metidos a la espalda del primer defensor. Los terceros defensores son responsables de proteger el espacio vulnerable situado por delante del balón y por detrás del segundo defensor, especialmente los huecos por detrás de la defensa en el lado contrario al balón.

El entrenamiento táctico debería comenzar con las unidades tácticas más fundamentales (1 contra 1) y progresar gradualmente hacia grupos pequeños (2 contra 1, 2 contra 2 y 3 contra 2) para tratar, finalmente, situaciones de grupos más grandes. Es importante considerar que las tácticas son de poca o ninguna utilidad si los jugadores no saben ejecutar los fundamentos básicos del fútbol. Sería como intentar enseñar un ataque en movimiento en baloncesto antes de que los jugadores hayan desarrollado la habilidad de botar el balón. Por este motivo, el entrenamiento táctico no debería ser tratado hasta que los jugadores sean competentes realizando los fundamentos básicos. Hablando claro, los jugadores más jóvenes han de centrarse en desarrollar las técnicas básicas.

Los juegos de este capítulo están dispuestos en una secuencia progresiva sin excesivo rigor, comenzando con tácticas individuales y avanzando hasta situaciones de grupo. Todos los juegos pueden adaptarse a las edades, habilidades y niveles evolutivos de los jugadores. Manipulando factores como el tamaño del área de juego, el número de jugadores, los tipos de pases requeridos, el número de toques permitido en el pase y en la recepción del balón y la velocidad de repetición es posible aumentar o disminuir la dificultad.

Minutos: Series de juegos de 60 segundos (mínimo de 5 juegos)

Jugadores: Número ilimitado (en parejas)

Objetivos: Desarrollar la habilidad de competir en situaciones de 1 contra 1; mejorar las técnicas de regate, entrada defensiva y protección del balón; mejorar la preparación física.

Organización: Los jugadores forman parejas para competir. Delimitar un cuadrado de juego de 15 m de lado para cada pareja. Utilizar discos o conos para representar una portería común de 1,5 m de ancho situada en el centro del área. Se necesita un balón por pareja.

Desarrollo: Los jugadores compiten en un 1 contra 1 dentro del área señalizada y pueden marcar gol pasando el balón o regateando a través de cualquier lado de la portería. El cambio de posesión se produce cuando el defensor roba el balón, después de un gol marcado o cuando el balón sale del campo. Los jugadores invierten inmediatamente las funciones con cada cambio de posesión. Disputar series de juegos de 1 minuto, con 30 segundos de descanso entre juegos.

Forma de puntuación: El jugador que marque más goles gana.

Consejos prácticos: Aumentar el tamaño de la portería y acortar el juego a 30 segundos para los jugadores menores de 11 años.

(106) Defender la línea de meta (1 contra 1)

Minutos: 15

Jugadores: Número ilimitado (en parejas)

Objetivos: Mejorar la técnica para atacar y defender en situaciones de 1 contra 1.

Organización: Los jugadores forman parejas para competir. Utilizar conos para señalizar un área de juego de 10 × 20 m para cada pareja. Los jugadores comienzan frente a frente en líneas de meta opuestas. Un jugador tiene el balón para comenzar el juego.

Desarrollo: El jugador A, con el balón, pasa al jugador B e inmediatamente avanza para jugar como defensor. El jugador B recibe el balón e intenta superar al defensor regateando para cruzar la línea de meta. Después de un gol o de un cambio de posesión, o cuando el balón sale de banda, ambos jugadores regresan a sus respectivas líneas de fondo y repiten la ronda, alternándose en los puestos de defensor y atacante.

Forma de puntuación: Otorgar 1 punto por cada gol. El jugador que consiga más puntos gana la competición.

Consejos prácticos: Animar al atacante a superar al defensor en velocidad, el cual intenta cerrar la vía de paso. El defensor ha de achicar rápidamente el espacio del que dispone el atacante tras pasarle el balón y adoptar la adecuada postura defensiva. Con los jugadores más jóvenes, reducir el tamaño del área.

Minutos: Rondas de 2 minutos

Jugadores: 4 por juego (2 equipos de 2)

Objetivos: Mejorar la habilidad para competir en situaciones de 1 contra 1; mejorar las técnicas de conducción del balón y de entrada defensiva; mejorar la preparación física.

Organización: Organizar equipos de dos. Utilizar conos para crear un área de juego de 15 × 20 m. Un jugador de cada equipo hace de portería colocándose en su respectiva línea de meta. Los dos jugadores restantes comienzan en el centro del área. Uno comienza con el balón; el otro, defiende.

Desarrollo: Los jugadores en el centro disputan un 1 contra 1. Se marca puntos pasando el balón a los pies de la portería rival. Las porterías deben permanecer inmóviles durante los 2 minutos que dura el juego; no pueden desplazarse lateralmente para recibir un pase. Si el defensor roba el balón, inmediatamente pasa a atacar e intenta marcar en la portería contraria. Los jugadores en el centro pueden hacer pases hacia atrás a su compañero (portería) para salir de la presión y pueden recibir pases de su portería. Sin embargo, el jugador-portería no puede avanzar para apoyar a su compañero. El cambio de posesión se produce cuando el defensor roba el balón, cuando el balón sale del campo y después de cada punto marcado. Jugar rondas de 2 minutos tras las cuales los compañeros cambian de puesto; el portero pasa a ser jugador de campo y viceversa.

Forma de puntuación: El jugador que marque más goles gana la ronda. El primer equipo que gane cinco rondas gana el juego.

Consejos prácticos: Los jugadores que hacen de porterías han de tener cerca más balones. Cuando el balón sale del campo, el jugador-portería puede poner rápidamente otro balón en juego para evitar las interrupciones. A modo de variación, añadir jugadores de apoyo en las bandas.

Minutos: Series de juegos de 2 minutos

Jugadores: 8 (2 parejas más 4 defensores de apoyo)

Objetivos: Practicar el ataque y la defensa en situaciones de 1 contra 1 y 2 contra 2.

Organización: Utilizar conos para señalizar un cuadrado de juego de 30 m de lado. Los jugadores se emparejan para realizar una competición 1 contra 1. Dos parejas comienzan dentro del área de juego para competir simultáneamente en emparejamientos 1 contra 1. Los jugadores restantes se sitúan en el perímetro del campo, en cada uno de los lados del campo. Estos jugadores actúan como defensores de apoyo. Se requieren dos balones, uno por cada pareja que compite en el campo.

Desarrollo: Los competidores se sientan espalda contra espalda con el balón cerca. Tras la indicación del entrenador, comienza el juego. Los jugadores se ponen de pie y compiten por el balón. El jugador que obtiene la posesión (atacante) intenta marcar gol conduciendo el balón a través de cualquier línea del campo. Su rival (defensor) intenta evitarlo y es ayudado para ello por los defensores de apoyo cuando el atacante intente penetrar por las líneas de banda o de fondo. Los defensores de apoyo pueden avanzar 2 m dentro del campo para marcar al atacante que se dirija hacia ellos, pero no pueden perseguirlo hasta el centro del campo. Cuando un defensor de apoyo roba el balón, inmediatamente lo pasa al defensor situado dentro del cuadrado que pasa a ser atacante. Cuando el defensor dentro del cuadrado roba el balón, acto seguido se convierte en atacante e intenta atravesar cualquier línea del campo con el balón para anotar. Tras marcar, el atacante vuelve al campo y el juego continúa. Jugar ininterrumpidamente durante 2 minutos, tras lo cual los competidores cambian de puesto con los defensores de apoyo y se inicia una nueva ronda.

Forma de puntuación: Conducir el balón a través de una línea de banda vale 1 punto. El jugador que tenga más puntos en la ronda de 2 minutos gana dicha ronda.

Consejos prácticos: Es posible ajustar el tamaño del campo en función de la edad y de la habilidad de los jugadores.

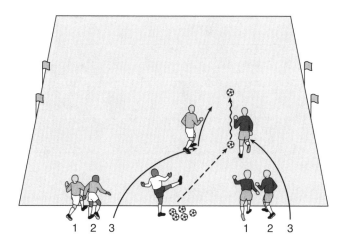

Minutos: 15

Jugadores: De 6 a 8 (en parejas)

Objetivos: Mejorar la técnica para competir en situaciones 1 contra 1; mejorar la preparación física.

Organización: Utilizar conos para señalizar un área de juego de 20 × 20 m. Colocar banderas para representar pequeñas porterías en el punto medio de cada línea de 20 m. Dividir a los jugadores en dos equipos de igual tamaño (A y B). Cada jugador se empareja con un jugador del equipo rival y dichas parejas reciben un número (pareja 1, pareja 2, etc.) Los equipos se sitúan en un extremo de la pista uno al lado del otro. El entrenador se ubica entre los equipos, con una provisión de balones.

Desarrollo: El entrenador pasa un balón al centro del campo y dice un número, por ejemplo, el número 1. Dicha pareja entra corriendo en el campo y lucha por el balón. El jugador que obtiene la posesión puede marcar en cualquier portería conduciendo el balón o pasándolo a través de la misma. Tras marcar, o si el balón sale del campo, el entrenador manda otro balón al área y dice otro número.

Forma de puntuación: Otorgar 1 punto por cada gol marcado. Los jugadores llevan la cuenta de sus puntos. El equipo que marque más puntos gana el juego.

Consejos prácticos: Este juego requiere que los jugadores lean la presión de los rivales para atacar la portería menos defendida. Tras varias rondas, las parejas se reorganizan para que los jugadores tengan la oportunidad de competir frente a distintos rivales.

Minutos: 15

Jugadores: 7 (3 equipos de 2 más 1 pasador)

Objetivos: Enfrentarse y superar a un rival (y, en algunos casos, a dos rivales) en espacios reducidos; mantener la posesión del balón bajo un intenso *pressing* defensivo; mejorar la resistencia.

Organización: Utilizar conos para señalizar tres porterías pequeñas. Colocar las porterías en forma de triángulo, con al menos 15 m de distancia entre ellas. Organizar tres equipos de dos. Un miembro de cada equipo se sitúa fuera del triángulo, cerca de la portería. El otro miembro de cada pareja comienza dentro del área triangular formada por las porterías. Un pasador se sitúa a un lado del campo con una gran provisión de balones.

Desarrollo: El ejercicio comienza con el pasador enviando un balón dentro del campo. El jugador que gana la posesión (atacante) compite en un 1 contra 2 con los otros jugadores centrales (defensores). El atacante puede conseguir puntos conduciendo el balón a través de cualquiera de las tres porterías. Es posible obtener los puntos desde cualquier lado de las porterías, pero el atacante no puede pasar con el balón dos veces seguidas a través de la misma portería. Si un defensor roba el balón, pasa inmediatamente a ser atacante y el atacante original se convierte en defensor.

Los jugadores situados fuera del triángulo (al lado de las porterías) son pasivos hasta que sus compañeros los tocan. El jugador que es tocado entra en el área de juego y compite; su compañero espera descansando fuera del triángulo. El juego es continuo.

Forma de puntuación: Otorgar 1 punto por conducir el balón a través de una portería. Llevar la cuenta del número de puntos total anotado por cada equipo.

Consejos prácticos: El regate es un medio efectivo para penetrar y romper una defensa congestionada. Fomentar los cambios repentinos de dirección y de ritmo junto a movimientos corporales de engaño y fintas para batir a los rivales. Prohibir los barridos en este juego.

Minutos: 15

Jugadores: 5 (2 equipos de 2 jugadores cada uno más 1 portero neutral)

Objetivos: Emplear las técnicas de regate y protección del balón para vencer y sobrepasar a la defensa; mejorar la preparación física.

Organización: Jugar dentro del área de penalti con una portería reglamentaria sobre la línea de meta. Formar dos equipos de dos jugadores cada uno. Los dos jugadores de un equipo comienzan dentro del área de penalti como defensores. Un miembro del equipo rival también empieza dentro del área como atacante en solitario. Su compañero comienza fuera del área como pasador, con una provisión de balones. El portero neutral se sitúa bajo los palos.

Desarrollo: El juego comienza con el pasador enviando el balón hacia su compañero situado dentro del área de penalti. Este jugador intenta marcar gol regateando a los dos defensores y disparando a puerta. Justo después de conseguir un punto, de que el portero detenga el tiro o que el balón salga del campo, el pasador envía otro balón al área y el juego continúa. Jugar durante 90 segundos, tras lo cual el pasador se cambia de puesto con su compañero y se repite la ronda. Jugar series de rondas de 90 segundos; los equipos intercambian los puestos cada dos rondas.

Forma de puntuación: Otorgar 1 punto por cada tiro a puerta detenido por el portero y 2 puntos por gol marcado. Los compañeros suman sus puntos para obtener el total del equipo. El equipo que consiga más puntos gana.

Consejos prácticos: Animar a los defensores a cerrar el paso al atacante mediante un dos contra uno para evitar los regates y los tiros a puerta. Ajustar el tamaño del área de juego para adaptarse a las edades y grado de habilidad de los jugadores.

Minutos: 15

Jugadores: Número ilimitado (grupos de 3)

Objetivos: Practicar la pared (doy y me voy) para superar a un rival; defender en situación de inferioridad numérica.

Organización: Situar conos para crear un cuadrado de juego de 15 m de lado para cada grupo. Elegir a dos jugadores como atacantes y a uno como defensor. Es necesario un balón por grupo.

Desarrollo: Los atacantes intentan mantener la posesión del balón mediante el regate, la protección del balón y los pases. Hacer hincapié en la realización de paredes (doy y me voy) para superar al defensor. Para ejecutar una pared, el jugador con el balón encara al defensor, pasa a su compañero que está situado a su lado y corre a toda prisa hasta situarse por detrás del defensor y recibir un pase al primer toque de su compañero. Si el defensor roba el balón, inmediatamente lo devuelve a los atacantes y el juego prosigue. Jugar rondas de 5 minutos; los jugadores se turnan para ser defensor.

Forma de puntuación: Los atacantes obtienen 1 punto por cinco pases sin perder la posesión y 2 puntos cada vez que ejecutan bien una pared y superan al defensor. El jugador que conceda menos puntos como defensor gana la competición.

Consejos prácticos: La adecuada ejecución de la pared requiere habilidad, sincronización, anticipación y trabajo en equipo. El jugador con el balón debe encarar al defensor. Al mismo tiempo, su compañero debe colocarse de forma que tenga una buena línea de pase con respecto al balón. Aumentar el tamaño del área para jugadores principiantes de modo que los atacantes tengan más tiempo para realizar las maniobras y tomar decisiones.

Minutos: 15

Jugadores: 3

Objetivos: Mejorar la habilidad para atacar y defender en situación de 2 contra 1; desarrollar las técnicas de regate, pase y entrada defensiva.

Organización: Utilizar conos para señalizar un área de juego de 15 × 25 m. Un jugador (defensor) se sitúa con el balón en una línea de fondo. Los dos jugadores restantes (atacantes) comienzan en la línea de fondo contraria de cara al defensor.

Desarrollo: El defensor inicia el juego pasando el balón a los atacantes y avanza hacia ellos para reducir la distancia. Los atacantes controlan el balón y avanzan para superar al defensor en un 2 contra 1. El objetivo consiste en dejar atrás al defensor, ya sea mediante regates o paredes, y conducir el balón a través de la línea de fondo. Los atacantes deben mantenerse dentro del campo (15 m de anchura) a la hora de superar al defensor. La ronda finaliza cuando el defensor roba el balón, el balón sale del campo o los atacantes conducen el balón controlado a través de la línea de fondo, aquello que ocurra antes. Los jugadores vuelven inmediatamente a sus puestos originales y repiten la ronda.

Forma de puntuación: Conceder al defensor 1 punto por robar el balón o por forzar el fuera de banda. Los atacantes consiguen 1 punto cuando superan al defensor y conducen el balón a través de la línea de fondo. Jugar a 10 puntos, tras lo cual los jugadores cambian de posición y repiten. Jugar 3 rondas; los jugadores se turnan para jugar en la posición de defensor.

Consejos prácticos: Los atacantes han de encarar al defensor en velocidad. El defensor ha de intentar retrasar el juego de los atacantes, anticiparse a sus movimientos y actuar en consecuencia. Animar a los atacantes a reconocer las oportunidades para practicar el pase de pared.

(114) Transición 2 contra 1 (+1)

Minutos: 20

Jugadores: 4 (2 equipos de 2)

Objetivos: Utilizar la pared para superar a un rival; defender en situación de inferioridad numérica; practicar una transición inmediata del ataque a la defensa.

Organización: Utilizar conos chinos para crear un área de 15 × 20 m para cada juego. Colocar banderas o discos para representar una portería de 3 m de anchura en el punto medio de cada línea de meta. Organizar equipos de dos jugadores para la competición. Un equipo tiene el balón para comenzar. No es necesario un portero.

Desarrollo: Comenzar con un saque inicial en el centro del campo. Cada equipo defiende una portería y puede marcar en la portería rival. El equipo con el balón ataca con dos jugadores; el equipo defensor tiene a un jugador como portero y el otro como defensor en solitario. El cambio de posesión se produce cuando el defensor roba el balón, el portero realiza una parada, el balón sale del campo tocado en última instancia por un atacante o se consigue un punto. El defensor que roba el balón debe retrasarlo hacia a su portero antes de que el equipo pueda contraatacar. Tras recibir el balón, ya sea de su compañero o tras realizar una parada, el portero avanza inmediatamente para unirse a su pareja y atacar la portería rival. Un jugador del equipo rival en seguida retrocede corriendo para jugar como portero mientras que su compañero juega como defensor en solitario. Los compañeros han de turnarse para jugar como portero.

Forma de puntuación: Otorgar 1 punto por cada gol marcado. El equipo que marque más goles gana.

Consejos prácticos: Hacer hincapié en la velocidad en las transiciones tras los cambios de posesión. Animar a los atacantes a encarar al defensor para ejecutar el pase de pared y rebasar al defensor.

Minutos: 15

Jugadores: Número ilimitado (grupos de 4)

Objetivos: Ofrecer apoyo a los compañeros con un ángulo y una profundidad adecuados; pasar y recibir el balón con eficacia bajo presiones similares a las de partido; defender en situación de inferioridad numérica.

Organización: Utilizar conos chinos para señalizar un área de juego de 10 × 15 m para cada grupo. Designar a tres jugadores como atacantes y uno como defensor. Es necesario un balón por grupo.

Desarrollo: Los atacantes intentan mantener el balón fuera del alcance del defensor regateando y pasándoselo entre ellos. Si el defensor roba el balón o lo despeja fuera del campo, el atacante cuyo error provoca la pérdida de la posesión pasa inmediatamente a ser el defensor y el defensor original se une al ataque.

Forma de puntuación: El equipo atacante obtiene 1 punto por ocho pases consecutivos sin perder el balón. El defensor que conceda el menor número de puntos gana la competición.

Consejos prácticos: Animar a los atacantes a situarse en el ángulo y profundidad correctos para ofrecer apoyo y líneas de pase claras a su compañero con el balón. Imponer restricciones para que el juego sea más complicado (como por ejemplo, limitar a los atacantes a tres o menos toques para pasar y recibir el balón). Para principiantes, aumentar el tamaño del área de juego y reducir el número de pases consecutivos para conseguir puntos.

Minutos: 15

Jugadores: 5

Objetivos: Desarrollar adecuados ángulos de apoyo entre los atacantes; mejorar las técnicas de pase y las habilidades de toma de decisiones bajo presiones similares a las de partido.

Organización: Utilizar conos para crear dos zonas (cuadradas) de 10 × 10 m separadas 8 m entre sí. Colocar tres o cuatro balones fuera de cada cuadrado. Designar a cuatro jugadores como atacantes y uno como defensor. Tres atacantes y el defensor comienzan en el cuadrado 1. El atacante restante (blanco) comienza en el cuadrado 2.

Desarrollo: Los atacantes del cuadrado 1 intentan mantener el balón fuera del alcance del defensor. Los atacantes deben realizar al menos cuatro pases consecutivos dentro del cuadrado antes de pasar el balón al jugador (objetivo) en el cuadrado 2. Luego los tres atacantes corren hacia el cuadrado 2 para apoyar a su compañero allí. El último jugador que llega al cuadrado 2 pasa a ser el defensor en dicho cuadrado; los jugadores restantes juegan un 3 contra 1 con el defensor. El defensor original permanece en el cuadrado 1 como objetivo para la siguiente ronda.

El juego es continuo a medida que los jugadores cambian de un cuadrado a otro. Si el defensor roba el balón o lo despeja fuera del cuadrado, el atacante que haya perdido la posesión se convierte en defensor y el juego continúa. Si el pase al objetivo en el cuadrado opuesto no es preciso (dentro del cuadrado), el jugador que haya realizado el pase erróneo se convierte en defensor.

Forma de puntuación: Cada jugada de cuatro pases consecutivos dentro de un cuadrado, seguidos de un pase preciso al blanco en el cuadrado opuesto obtiene 1 punto.

Consejos prácticos: Hacer hincapié en el apoyo adecuado al jugador con el balón. Los atacantes deberán situarse por lo general creando amplios ángulos de apoyo (mayores de 45 grados) para evitar que el defensor en inferioridad numérica intercepte la línea de pase.

Minutos: 20 (rondas de 5 minutos)

Jugadores: 8 (2 equipos de 2 más 4 jugadores de apoyo)

Objetivos: Mejorar el juego de pases y los movimientos de apoyo necesarios para mantener el balón fuera del alcance de los rivales.

Organización: Utilizar conos para señalizar un cuadrado de juego de 25 m de lado. Situar un cono en el punto medio de cada lado del cuadrado. Un jugador de apoyo se coloca cerca de cada uno de estos cuatro conos. Los jugadores restantes se emparejan con un compañero para crear dos equipos de dos. Ambos equipos comienzan dentro del área; un equipo tiene el balón. Utilizar petos de colores para diferenciar a los equipos.

Desarrollo: El equipo con el balón intenta mantenerlo fuera del alcance de sus rivales completando el mayor número de pases posible. Los jugadores de apoyo ayudan al equipo con la posesión del balón para crear una superioridad ofensiva de 6 contra 2. Sin embargo, los jugadores de apoyo tienen movimientos restringidos: pueden desplazarse lateralmente a lo largo de su banda, pero no pueden avanzar alejándose de la línea. Los jugadores de apoyo también están limitados a dos toques para recibir y pasar el balón. Además, los jugadores de apoyo solo pueden recibir y pasar el balón de/y a los jugadores centrales, es decir, no pueden pasárselo entre ellos. La pérdida de posesión tiene lugar cuando un defensor roba el balón o cuando este sale del cuadrado de juego. Jugar durante 5 minutos, tras los cuales los jugadores centrales se cambian con los jugadores de apoyo. Jugar un total de cuatro rondas.

Forma de puntuación: Otorgar 1 punto al equipo que efectúe ocho pases consecutivos sin perder el balón. El equipo que consiga más puntos gana.

Consejos prácticos: Imponer restricciones para que el juego sea más entretenido para los jugadores avanzados, como por ejemplo, limitar a los jugadores de apoyo a un toque o prohibirles pasar el balón de vuelta al jugador que les efectuó el pase. Reducir el tamaño del área y otorgar 1 punto por cinco pases consecutivos para que los jugadores más jóvenes se manejen mejor con el ejercicio.

(118) 2 contra 2 (+ dianas)

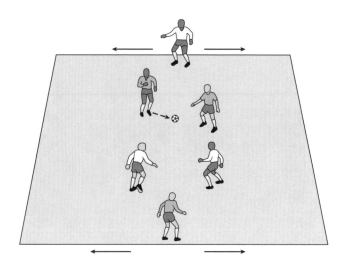

Minutos: 15

Jugadores: 6 (2 equipos de 2 jugadores de campo y 1 jugador diana)

Objetivos: Combinar con un compañero para atravesar las defensas rivales; coordinar los conceptos defensivos de *pressing* y cobertura.

Organización: Utilizar conos para señalizar un área de juego de 20 × 30 m. Formar dos equipos de tres jugadores cada uno. Cada equipo defiende una línea de meta; dos jugadores de cada equipo se colocan para defender su línea de meta mientras que el jugador restante (diana) de cada equipo comienza en la línea de meta contraria a la de sus compañeros. Utilizar un balón por cada juego; se recomienda tener cerca una provisión adicional de balones.

Desarrollo: Los equipos juegan un 2 contra 2 dentro del área, cada equipo defiende una línea de meta. Los goles se marcan pasando el balón al compañero diana que está en la línea de meta del equipo rival. Los jugadores diana pueden moverse lateralmente a lo largo de la línea de meta para crear líneas de pase libres para sus compañeros. Los defensores intentan evitar que los rivales completen un pase al jugador diana que está en su línea de meta. El cambio de posesión tiene lugar tras un gol marcado, cuando el balón sale fuera de banda tocado por un atacante o cuando un defensor roba el balón. Jugar durante 5 minutos, tras lo cual los jugadores diana cambian su puesto con uno de sus compañeros. Jugar rondas de 5 minutos para que todos los jugadores tengan la oportunidad de ser jugador diana.

Forma de puntuación: Los equipos atacantes marcan 1 punto por cada pase completado al jugador diana situado en la línea de meta por detrás del equipo defensor. El equipo que consiga más puntos en 5 minutos gana.

Consejos prácticos: A modo de variación, añadir jugadores de apoyo adicionales en las líneas de banda para crear una superioridad numérica mayor para el equipo atacante.

Minutos: 20

Jugadores: 6 (2 equipos de 3)

Objetivos: Practicar las tácticas de equipo de ataque y defensa; coordinar los movimientos del primer (presión) y del segundo (cobertura) defensa; mejorar el juego de transiciones.

Organización: Utilizar conos para crear un área de juego de 20 × 30 m. Situar dos conos o banderas separadas 4 m entre sí en el punto medio de cada línea de meta a modo de porterías. Organizar dos equipos de tres jugadores. Emplear petos de colores para diferenciar a los equipos. Un equipo tiene el balón para comenzar el juego.

Desarrollo: El juego comienza con un saque inicial en el centro del campo. Cada equipo defiende una portería. El equipo que consigue la posesión ataca con tres jugadores; los rivales defienden con dos jugadores de campo y un portero. El defensor que robe el balón debe retrasarlo hacia su portero antes de iniciar el ataque sobre la portería rival. Tras recibir el balón, el portero avanza para unirse a sus compañeros y formar un ataque de tres jugadores. Un jugador del equipo rival corre inmediatamente hacia su portería para ser el portero; los dos jugadores restantes se sitúan para defender la portería. El juego es continuo con los equipos jugando en el ataque y en la defensa con cada cambio de posesión. Los compañeros se turnan para jugar como portero en sus equipos.

Forma de puntuación: Un gol se marca metiendo el balón en la portería contraria por debajo de la altura de la cabeza. El equipo que marca más goles gana.

Consejos prácticos: Hacer hincapié en realizar transiciones inmediatas entre la defensa y el ataque con el cambio de posesión. Situar balones adicionales detrás de cada portería para que no haya demoras cuando el balón se aleje del campo. Ajustar el tamaño del área para adaptarse a las edades y habilidades de los jugadores.

Minutos: 24

Jugadores: Grupos de 6 (4 atacantes, 2 defensores)

Objetivos: Practicar las combinaciones de pases necesarias para atravesar la defensa rival; coordinar los movimientos del primer (presión) y segundo (cobertura) defensa.

Organización: Situar conos para crear un área de juego de 10 × 20 m para cada grupo de seis. Designar a cuatro jugadores como atacantes y dos como defensores. Emplear petos de colores para diferenciar a los atacantes de los defensores. Todos los jugadores se sitúan dentro del área de juego. Un atacante tiene el balón para comenzar.

Desarrollo: Los atacantes intentan mantener el balón fuera del alcance de los defensores. Cuando sea posible, han de intentar separar a los dos defensores (pasando el balón entre ellos). Este tipo de pase suele ser llamado *pase de la muerte,* ya que atraviesa la defensa y sitúa a los defensores en gran desventaja. Si un defensor roba el balón o si el balón sale del área de juego, el balón es devuelto inmediatamente a un atacante y el juego prosigue. Jugar durante 8 minutos; luego elegir a dos jugadores diferentes como defensores para la siguiente ronda. Jugar tres rondas; todos los jugadores han de turnarse en el puesto de defensores.

Forma de puntuación: El equipo atacante consigue 1 punto por ocho pases consecutivos sin perder la posesión y 2 puntos por un pase que divida a los defensores. El equipo defensor que conceda el menor número de puntos en 8 minutos gana.

Consejos prácticos: Los atacantes deberían ajustar constantemente sus posiciones en relación a la ubicación del balón para ofrecer buenas líneas de pase. Los jugadores de apoyo han de colocarse en ángulos amplios a ambos lados del balón. El defensor más cerca del balón (primer defensor) ha de presionar sobre el balón para limitar el tiempo y el espacio que el atacante puede utilizar. El defensor más alejado del balón (segundo defensor) se coloca con el objetivo de proteger el espacio por detrás del primer defensor y para evitar un pase de la muerte. Con jugadores con un alto nivel de técnica, reducir el tamaño del área y limitar el número de toques permitidos para pasar y recibir el balón.

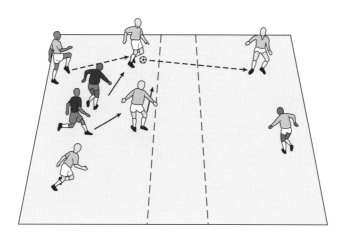

Minutos: 20

Jugadores: 8 (6 atacantes, 2 defensores)

Objetivos: Mantener la posesión con el objetivo final de atravesar la defensa; defender en una situación de inferioridad numérica.

Organización: Utilizar conos para señalizar un área de 20 × 35 m dividida en dos campos (1 y 2), cada uno de 15 × 20 m con una zona intermedia neutral de 5 m de anchura. En el campo 1 se sitúan cuatro atacantes y dos defensores y en el campo 2 están dos atacantes. Emplear petos de colores para diferenciar a los atacantes de los defensores. Los atacantes en el campo 1 tienen la posesión del balón para comenzar. Los porteros no son necesarios. Colocar una provisión de balones fuera de cada campo.

Desarrollo: Los cuatro atacantes en el campo 1 mantienen el balón lejos del alcance de los dos defensores. Los atacantes únicamente pueden jugar a un máximo de tres toques. Tras completar cinco o más pases consecutivos, los atacantes en el campo 1 pueden pasar el balón a los atacantes ubicados en el campo 2. Dos de los cuatro atacantes en el campo 1 siguen inmediatamente el balón hacia el campo 2 para unirse a los dos atacantes que ya están ahí. Los dos defensores también corren hacia el campo 2 para intentar robar el balón ahí, creando otra situación de 4 contra 2 en el segundo campo. Si un defensor roba el balón o el balón sale del campo, los atacantes introducen sin dilación otro balón en juego y este prosigue. Jugar ininterrumpidamente durante 5 minutos; luego elegir a dos defensores distintos y repetir la actividad. Jugar un total de cuatro rondas de modo que cada jugador tenga la opción de jugar como defensor.

Forma de puntuación: Los defensores consiguen 1 punto cada vez que fuercen la pérdida del balón. La pareja que consiga más puntos gana la competición.

Consejos prácticos: Hacer hincapié en el rápido movimiento de balón, una toma de decisiones veloz y en la creación de adecuados ángulos de apoyo para los atacantes. Hacer resaltar el mantener la posesión con el objetivo final de profundizar (pasando al campo adyacente) y no en mantener la posesión por el mero hecho en sí.

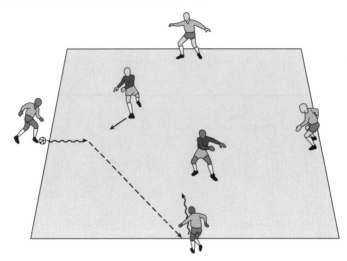

Minutos: De 16 a 20

Jugadores: 6 (4 atacantes, 2 defensores)

Objetivos: Coordinar el movimiento del primer defensa (presión) y del segundo defensa (cobertura); desarrollar las técnicas individuales de entrada defensiva; mejorar la preparación física.

Organización: Utilizar conos para señalizar un cuadrado de juego de 20 m de lado. Ubicar dos defensores en el centro del área; un atacante se coloca en el punto medio de cada línea de banda. Un pasador (entrenador) se sitúa fuera del campo con un abundante suministro de balones.

Desarrollo: El pasador envía el balón a uno de los atacantes. El jugador que recibe el balón intenta conducirlo hasta el lado contrario del cuadrado. Los dos defensores se colocan de forma que cierren esta penetración; el primer defensor presiona al atacante mientras que el segundo realiza la cobertura. Si el atacante no puede atravesar hacia el espacio tras los defensas, pasa a uno de los atacantes situados en un lado adyacente. Tras recibir el balón, dicho atacante inmediatamente intenta conducirlo a través del cuadrado hasta el lado opuesto. Los defensores en seguida han de reajustar sus posiciones para cerrar la penetración del nuevo atacante. Si el balón es robado por un defensor o sale del campo, el pasador envía sin dilación otro balón a un atacante situado en otra línea de banda. El atacante que logra conducir el balón hasta la banda opuesta recibe 1 punto; tras conseguirlo, regresa a su posición original corriendo por el exterior del cuadrado. Jugar durante 4 minutos y luego elegir a dos nuevos defensores. Cada jugador ha de ser defensor durante un turno.

Forma de puntuación: Otorgar 1 punto al atacante que cruza el campo con el balón bajo control hasta el lado opuesto. El atacante que consiga más puntos gana el juego.

Consejos prácticos: Hacer hincapié en la presión inmediata sobre el balón realizada por el primer defensor. Los defensores deben reajustar rápidamente las posiciones cuando el balón es jugado a un atacante diferente. Los atacantes situados en los lados pueden desplazarse por la banda para ofrecerse al pase del compañero con el balón cuando este no pueda atravesar la defensa mediante el regate.

Minutos: 15

Jugadores: 8 (2 equipos de 4)

Objetivos: Practicar el juego de combinaciones necesario para atravesar la defensa rival; defender en situación de inferioridad numérica.

Organización: Utilizar conos para crear un campo de juego de 20 × 30 m para cada grupo. Organizar dos equipos de cuatro jugadores cada uno. Situar dos miniporterías, de 3 m de ancho, en las esquinas de cada línea de meta. Hay un balón en cada pista.

Desarrollo: Cada equipo defiende las dos porterías situadas en su línea de meta y puede marcar en cada una de las porterías de la línea de meta del rival. El equipo con el balón ataca con cuatro jugadores; los rivales defienden con dos jugadores y los compañeros restantes se sitúan en las porterías para jugar como porteros. Los atacantes solo pueden dar tres o menos toques para pasar, recibir y tirar a puerta. Si un defensor roba el balón, debe retrasarlo a uno de sus porteros para inmediatamente atacar con cuatro jugadores las porterías rivales. El equipo que pierde la posesión del balón envía a dos jugadores a sus porterías para jugar como porteros.

Forma de puntuación: El equipo atacante consigue 1 punto por meter gol en cualquiera de las dos porterías rivales. El equipo que logre más puntos gana el ejercicio.

Consejos prácticos: Hacer hincapié en efectuar rápidas transiciones entre la defensa y el ataque con cada cambio de posesión. Los atacantes han de mover rápidamente el balón con la intención de desequilibrar a los defensores en inferioridad numérica y crear buenas líneas de pase y de tiro. Los defensores deben colocarse para defender los espacios más peligrosos e intentar forzar a los atacantes a tirar a puerta desde ángulos más cerrados (escorados).

Minutos: 20

Jugadores: 7 (2 equipos de 3 más 1 jugador neutral)

Objetivos: Practicar en equipo las tácticas ofensivas y defensivas; mejorar las técnicas de pase, recepción y regate bajo presiones de espacio reducido y tiempo limitado similares a las de partido.

Organización: Utilizar conos para señalizar un cuadrado de juego de 35 m de lado. Organizar dos equipos de tres jugadores cada uno. Designar a un jugador adicional como jugador neutral que siempre se une al equipo con la posesión de balón. Emplear petos de colores para diferenciar a los equipos y al jugador neutral. Es necesario un balón por juego. Para empezar, un equipo recibe la posesión del balón.

Desarrollo: El equipo con el balón intenta mantenerlo fuera del alcance de los rivales. El jugador neutral se une al equipo que tiene el balón para crear una superioridad numérica ofensiva de 4 contra 3. El cambio de posesión se produce cuando un defensor roba el balón o cuando este sale fuera del campo tocado en última instancia por un atacante. El juego es continuo con los jugadores pasando del ataque a la defensa y viceversa en cada cambio de posesión. No hay restricciones en cuanto al número de toques permitidos para pasar y recibir el balón, por lo que los atacantes pueden combinar el regate, la conducción del balón y los pases para mantener la posesión.

Forma de puntuación: Otorgar 1 punto por seis pases consecutivos sin perder la posesión. El equipo que consiga más puntos gana.

Consejos prácticos: Fomentar la rapidez en el movimiento del balón y una adecuada colocación de los jugadores de apoyo. En defensa, hacer hincapié en los conceptos de *pressing*, cobertura y basculación para limitar las opciones de los atacantes y, en última instancia, obtener la posesión del balón. Es posible reducir el tiempo y el espacio disponibles a los jugadores más experimentados disminuyendo el tamaño del área.

Minutos: 20

Jugadores: 8 (2 equipos de 3 más 2 jugadores neutrales)

Objetivos: Coordinar las tácticas de equipo en el ataque y la defensa; practicar la rápida ejecución del contraataque; mejorar la preparación física.

Organización: Utilizar conos para señalizar un área de 20 × 35 m. Colocar banderas para crear una portería de 3 m de ancho situada en el punto medio de cada línea de meta. Organizar dos equipos de tres jugadores cada uno y designar a dos jugadores adicionales como jugadores neutrales que siempre van con el equipo atacante. Emplear petos de colores para diferenciar a los equipos y a los jugadores neutrales. No hay porteros. Es necesario un balón por cada juego. Colocar una provisión adicional de balones en cada portería.

Desarrollo: Un equipo comienza con el balón. Empezar con un saque inicial en el centro del campo. Los jugadores neutrales se unen al equipo que tiene el balón para crear una superioridad numérica de 5 contra 3 para el ataque. Los equipos marcan gol enviando el balón a través de la portería rival. Los jugadores del equipo atacante únicamente pueden dar tres o menos toques para pasar, recibir y tirar a puerta. El defensor que roba el balón debe en primer lugar pasarlo a uno de los jugadores neutrales antes de iniciar el contraataque. En todo lo demás, se aplican las reglas ordinarias del fútbol.

Forma de puntuación: Gana el equipo que marque más goles.

Consejos prácticos: Hacer hincapié en las transiciones inmediatas entre ataque y defensa en cada cambio de posesión. Los jugadores avanzados pueden utilizar porterías reglamentarias y porteros. Reducir el tamaño del área para los jugadores más jóvenes.

(126) Porterías de dos caras

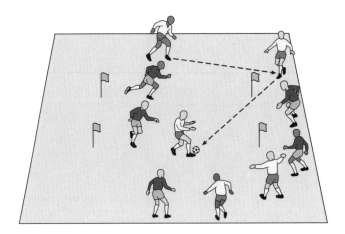

Minutos: De 15 a 20

Jugadores: 10 (2 equipos de 5)

Objetivos: Desarrollar buenas combinaciones de pases y movimientos efectivos de los jugadores sin balón; practicar el cambio de juego ofensivo; mejorar la resistencia general.

Organización: Utilizar conos para señalizar un área de juego de 30 × 40 m. Emplear banderas o discos para representar una portería de 2,5 m de ancho situada en cada mitad del campo, aproximadamente a 10 m de las líneas de fondo. Organizar dos equipos de igual tamaño. Utilizar petos de colores para diferenciar a los equipos. No hay porteros. Es necesario un balón por juego.

Desarrollo: Otorgar a un equipo la posesión del balón y comenzar con un saque inicial desde el centro del área. Los equipos pueden marcar en ambas porterías; además, es posible marcar gol por delante y por detrás de las porterías. Cada equipo debe defender ambas porterías cuando el rival tiene el balón. Se elimina la regla del fuera de juego, pero se aplica el resto de reglas.

Forma de puntuación: Gana el equipo que marque más goles.

Consejos prácticos: Destacar la importancia de las transiciones inmediatas entre la defensa y el ataque con el cambio de posesión. Los equipos deberán intentar hacer cambios de orientación para atacar la portería menos defendida. Añadir restricciones si se desea (como por ejemplo, un número limitado de toques). También es posible añadir al ejercicio un jugador neutral que siempre va con el equipo atacante.

Minutos: 25

Jugadores: 10 (3 equipos de 3 más 1 portero neutral)

Objetivos: Practicar las tácticas de equipo empleadas en ataque y defensa; mejorar la preparación física; ofrecer al portero oportunidad de entrenarse.

Organización: Jugar en un extremo de un campo reglamentario con una portería de dimensiones normales centrada en la línea de meta. Emplear conos para aumentar el área de penalti hasta lograr unas dimensiones de 35 m de profundidad × 40 m de anchura. Organizar tres equipos de tres jugadores cada uno. El primer equipo se coloca para defender la portería y el segundo equipo comienza, con el balón, en la línea de meta de cara a la portería. Los jugadores del tercer equipo se distribuyen por el perímetro del área de juego. El portero se ubica bajo los palos.

Desarrollo: El equipo con el balón entra en el campo para atacar la portería; los rivales defienden. Los jugadores del tercer equipo actúan como opciones de pase neutrales para el equipo atacante; no pueden entrar en el campo, pero pueden desplazarse lateralmente para apoyar al jugador con el balón. El equipo atacante puede pasar a los jugadores neutrales, que deben devolver el balón al interior del campo con dos o menos toques. El cambio de posesión se produce cuando el balón sale fuera del área, se marca un gol, el portero hace una parada o un defensor roba el balón. Tras una parada, el portero lanza el balón hacia una esquina y ambos equipos compiten por la posesión. El juego es continuo con los dos equipos que compiten alternándose entre el ataque y la defensa con cada cambio de posesión. El portero es neutral e intenta detener todos los disparos.

Forma de puntuación: El equipo que marca un gol permanece en el campo para la siguiente ronda; el equipo que encaja un gol pasa a ser equipo neutral. El equipo que al finalizar el tiempo haya marcado el mayor número de goles gana el ejercicio.

Consejos prácticos: Prácticamente, todos los conceptos tácticos de equipo pueden ser demostrados en una situación de 3 contra 3. Hacer hincapié en los conceptos tácticos de juego en profundidad, apertura de las bandas y ganar la espalda de la defensa. Resaltar los principios defensivos de presión (primer defensor), cobertura (segundo defensor) y basculación (tercer defensor).

Minutos: 25

Jugadores: 12 (3 equipos de 3 más 1 jugador neutral y 2 porteros)

Objetivos: Practicar las tácticas de equipo para el ataque y la defensa; mejorar la resistencia.

Organización: Organizar tres equipos (A, B y C) de tres jugadores cada uno. Designar a un jugador adicional como neutral que siempre va con el equipo atacante. Utilizar conos para señalizar un área de juego de 35 × 70 m con una portería reglamentaria en cada línea de meta. Dividir el campo en tres zonas de 35 m de ancho × 25 m de largo. El equipo A comienza en la zona central con el balón. Los equipos B y C están situados en las otras dos zonas defendiendo las porterías. En cada portería hay un portero. El jugador neutral se une al equipo con el balón (equipo A) en la zona central. Emplear petos de colores para diferenciar a los equipos.

Desarrollo: El equipo A, ayudado por el jugador neutral, sale de la zona central para atacar una de las porterías. El equipo defensor obtiene la posesión del balón cuando intercepta un pase, cuando el portero realiza una parada, cuando encaja un gol o cuando el balón sale de banda tocado por un atacante. En el cambio de posesión, el equipo defensor original corre hacia la zona central, donde se le une el jugador neutral, y ataca la portería opuesta. El equipo que ha perdido la posesión (equipo A) permanece en la zona cuya portería atacó para defender en la siguiente ronda. El jugador neutral siempre se une al equipo atacante para crear una superioridad numérica de 4 contra 3. El juego fluye mientras los equipos atacan una portería y luego la otra.

Forma de puntuación: El equipo que marca más goles gana.

Consejos prácticos: Animar a los jugadores a realizar el ejercicio a velocidad de partido. El equipo que obtiene la posesión ha de correr hacia la zona central, organizarse rápidamente para atacar con rapidez. En las situaciones reales de partido, cualquier demora en el ataque otorga a los defensores el tiempo necesario para replegarse y eliminar la superioridad numérica.

Minutos: 20

Jugadores: 8 (2 equipos de 4)

Objetivos: Practicar los conceptos de aplicación de la defensa zonal.

Organización: Utilizar conos para señalizar un área de juego de 20 × 30 m. Utilizar conos adicionales para dividir longitudinalmente el área en tres zonas. Las zonas de los extremos (1 y 3) tienen una anchura de 10 m y una longitud de 20; la zona central tiene una anchura de 15 m y una longitud de 20 m. Emplear banderas o discos para representar una portería pequeña (de 1,5 o 2,5 m de ancho) en las líneas de meta opuestas de cada zona (seis en total). Hay un balón por juego. Tener a disposición una provisión adicional de balones. Emplear petos de colores para diferenciar a los equipos.

Desarrollo: Organizar dos equipos de cuatro. Cada equipo es responsable de defender las tres porterías de su línea de meta y pueden marcar en cualquiera de las tres porterías del rival. Un jugador de cada equipo se sitúa en las zonas 1 y 3. Estos jugadores defienden las porterías del equipo en estas zonas. Dos jugadores de cada equipo juegan en la zona 2 y son responsables de defender la portería en dicha zona. Los defensores solo pueden moverse en su zona. No hay restricciones para el equipo que tiene el balón; los atacantes pueden moverse entre zonas para sobrecargar una zona si así lo desean. Sin embargo, si hay un cambio de posesión, deben regresar inmediatamente a su zona asignada. Por lo demás, se aplica el reglamento habitual.

Forma de puntuación: Otorgar 1 punto por cada gol marcado.

Consejos prácticos: A modo de variación, permitir que un jugador en la zona central se desplace lateralmente a una zona de los extremos para ofrecer apoyo (cobertura defensiva) a su compañero en dicha zona. Del mismo modo, permitir que los defensores en las zonas de los extremos se desplacen lateralmente a la zona central para ofrecer cobertura y basculación a los defensores centrales. Hacer hincapié en una adecuada formación y basculación defensiva. El posicionamiento zonal se basa en la ubicación del balón y en la posición de los compañeros defensores.

Minutos: 25

Jugadores: 12 (2 equipos de 4 más 2 carrileros neutrales y 2 porteros)

Objetivos: Hacer hincapié en un adecuado juego por las bandas; mejorar la habilidad para marcar gol mediante centros al área; defender los pases al área de gol.

Organización: Jugar en un área de 55 × 35 m con una portería reglamentaria situada en el centro de cada línea de meta. Utilizar conos para señalizar un carril de 4 m de ancho en cada banda que amplía las dimensiones del campo. Organizar dos equipos de cuatro jugadores que utilizan petos de colores para diferenciarse. Designar a dos jugadores adicionales como carrileros neutrales, uno en cada carril de la banda. Un portero se sitúa en cada una de las porterías. Se necesita un balón por cada juego así como una provisión adicional de balones detrás de cada portería.

Desarrollo: Los equipos disputan un 4 contra 4 en la zona central del campo (sin carriles). Cada equipo defiende una portería y puede marcar en la portería rival. Los carrileros neutrales, que solo pueden moverse en su carril, se unen al equipo atacante para crear una superioridad numérica de 6 contra 4. Es posible marcar gol mediante tiros originados en el campo central o de balones centrados al área por parte de los carrileros. Cuando un carrilero recibe un balón de un jugador central o del portero, debe avanzar a máxima velocidad hacia la línea de meta del rival y centrar el balón al área de gol. En todo lo demás, se aplica el reglamento del fútbol.

Forma de puntuación: Otorgar 1 punto por cada gol marcado mediante un disparo originado en la zona central del campo y 2 puntos por un gol marcado directamente de un centro desde la banda. El equipo que consiga más puntos gana.

Consejos prácticos: Este juego refuerza la utilización del juego en las bandas para abrir la defensa del rival. También ofrece a los porteros la oportunidad de entrenar el manejo de los centros al área.

Minutos: 20

Jugadores: 12 (2 equipos de 5 jugadores más 2 jugadores neutrales)

Objetivos: Practicar en equipo el ataque y la defensa; practicar los cambios de orientación de juego ofensivo para aprovechar los espacios descubiertos.

Organización: Jugar en un área de 30 × 40 m. Utilizar conos para representar tres porterías de 2,5 m de ancho en cada línea de meta. Hay una portería en cada esquina y la tercera en el punto medio de cada línea de meta.

Desarrollo: Organizar dos equipos de cinco jugadores cada uno. Designar a dos jugadores adicionales como jugadores neutrales que siempre se unen al equipo atacante para crear una superioridad numérica de 7 contra 5. Cada equipo defiende las tres porterías situadas en su línea de meta y puede marcar en las tres porterías de la línea de meta rival. Los jugadores del equipo con el balón solo pueden dar tres toques para recibir, pasar y tirar a puerta. El juego es continuo, con una transición inmediata entre defensa y ataque en cada cambio de posesión.

Forma de puntuación: Pasar el balón a través de una portería cuenta como 1 punto. El equipo que consiga más puntos gana el juego.

Consejos prácticos: Animar a los atacantes a mover rápidamente el balón con el fin de desorganizar a los defensores y crear huecos en la defensa. Los miembros del equipo defensor deben mantenerse compactos, ajustar sus posiciones como grupo para mantener una adecuada formación defensiva y situarse para controlar los espacios ofensivos más peligrosos.

Capítulo 8

Juegos de táctica de equipo en grandes grupos

L as tácticas de fútbol se utilizan en tres niveles: individual, en grupos pequeños y en grupos grandes o con todo el equipo. Las tácticas individuales engloban los principios de ataque y defensa aplicables en situaciones de uno contra uno. Las tácticas para grupos pequeños funcionan con grupos de tres o más jugadores. Las tácticas también se aplican al equipo como un todo, especialmente respecto a las funciones de los jugadores y a los sistemas de juego. El objetivo final de las tácticas de grupos grandes o de equipo (7 contra 5, 9 contra 6, etc.) es hacer que todo el equipo sea mayor que la suma de sus partes individuales.

A estas alturas, los jugadores deberían comprender las responsabilidades del primer, segundo y tercer defensor y el papel que desempeñan en la defensa del equipo, así como el papel del primer, segundo (apoyo) y tercer atacante. El paso siguiente en el proceso de consolidación del equipo es incorporar estas estrategias en un plan general para el ataque y la defensa del equipo. Mis años de experiencia como jugador y como entrenador me han hecho ser consciente de que un grupo de individuos talentosos no forma necesariamente un equipo cohesionado. El juego de equipo efectivo requiere que los compañeros trabajen juntos de forma organizada y disciplinada. Los jugadores deben estar en forma, deben jugar con compromiso y determinación y, por encima de todo, deben cumplir con sus funciones específicas en el ataque y en la defensa. Los juegos tácticos para grandes grupos pueden fomentar dicho desarrollo colocando a los jugadores en situaciones en las que deben elegir cuál es la mejor medida a adoptar (como, por ejemplo, si es mejor pasar o regatear, efectuar la entrada o aguantar) de entre una multitud de opciones.

Las tácticas de equipo canalizan los esfuerzos colectivos de los 11 jugadores individuales que constituyen un equipo de fútbol hacia un objetivo común. Los jugadores pueden mejorar su habilidad para combinarla con las de sus compañeros desarrollando una clara comprensión de aquello que el equipo intenta conseguir cuando los rivales tienen el control del balón, así como de lo que el equipo desea realizar con la posesión en su poder. Los juegos y ejercicios descritos en este capítulo pueden servir en gran medida a estos propósitos.

Es importante darse cuenta de que en el nivel más fundamental, el juego del fútbol no trata de formaciones. El fútbol trata de jugadores (sus puntos fuertes, sus puntos débiles, sus personalidades, sus caracteres) que de forma individual trabajan en conjunción con otros para crear un todo que es mayor que la suma de sus partes. No hay formaciones mágicas que transformen a jugadores ordinarios en magníficos jugadores o que repentinamente conviertan un equipo débil en un equipo sobresaliente. Así que, aunque el sistema de juego proporciona una estructura y define un punto de partida para las tácticas de equipo, nunca debe ser el objetivo prioritario. Los conceptos técnicos y tácticos reafirmados en los ejercicios tácticos para grandes grupos recogidos en este capítulo son universales para todos los sistemas de juego. Aunque las funciones y responsabilidades individuales de los jugadores pueden diferir de una formación a otra, los principios de ataque y defensa tratados en estos ejercicios son aplicables a todos los sistemas y de ese modo mejoran el desarrollo de los jugadores.

El acierto en el juego de equipo se basa en gran medida en las decisiones que los jugadores toman en respuesta a situaciones cambiantes durante el juego. Las malas decisiones finalmente se traducen en goles encajados; las buenas decisiones, en última instancia, llevan al éxito individual y del equipo. Los siguientes ejercicios requieren que los jugadores tomen decisiones instantáneas bajo condiciones similares a las de los partidos, lo que, a cambio, mejorará sus habilidades para tomar decisiones en el campo de fútbol.

Minutos: 20

Jugadores: 14

Objetivos: Mantener la posesión mediante el regate y las triangulaciones de pases; practicar la defensa en grupo.

Organización: Utilizar conos para señalizar un campo de 20 × 30 m. Organizar un equipo de seis defensores y otro equipo de cuatro atacantes; designar a cuatro jugadores adicionales como jugadores neutrales que siempre van con el equipo defensor cuando este tiene el balón. Los atacantes y defensores juegan dentro del área; los jugadores neutrales están situados a lo largo del perímetro del área de juego, uno en cada línea de banda. Un pasador (el entrenador) se sitúa fuera del área de juego con una provisión de balones. El equipo defensor de seis jugadores tiene el balón para comenzar el juego.

Desarrollo: El equipo defensor intenta mantener el balón fuera del alcance del equipo atacante. Los defensores solo pueden dar tres o menos toques para recibir y pasar el balón y pueden pasarlo a los jugadores neutrales, así como a sus compañeros. Los jugadores neutrales pueden desplazarse lateralmente a lo largo de las líneas de banda y están limitados a dos toques para recibir y pasar el balón. Los jugadores neutrales solo pueden devolver el balón a un defensor que esté dentro del campo. Cuando un atacante roba el balón, el equipo atacante intenta mantener la posesión. Dado que los atacantes están en inferioridad numérica, no tienen restricciones en cuanto al número de toques; pueden emplear cualquier medio necesario (pase, regate, protección del balón, etc.) para mantener la posesión. Sin embargo, los atacantes no pueden recurrir a los jugadores neutrales en sus opciones de pase. Si el balón sale del área de juego, el pasador pone inmediatamente otro balón en juego. Los jugadores neutrales intercambian puestos con los atacantes cada cinco minutos aproximadamente.

Forma de puntuación: El equipo defensor consigue 1 punto por seis o más pases consecutivos sin perder la posesión. Los atacantes logran 1 punto por mantener la posesión durante 30 segundos seguidos o más.

Consejos prácticos: Hacer hincapié en la presión, la cobertura y la basculación en defensa; en ataque, centrarse en las habilidades individuales de posesión del balón.

(133) Defensa y ataque de equipo (7 contra 5)

Minutos: 25

Jugadores: 13 (7 atacantes y 5 defensores más 1 portero)

Objetivos: Practicar las tácticas de grupo empleadas en el ataque y la defensa.

Organización: Jugar en la mitad de un campo reglamentario con una portería de dimensiones normales centrada en la línea de meta. Utilizar conos para establecer porterías de 2,5 m de ancho, situadas a 20 m de distancia de la línea central. Un equipo de siete jugadores se enfrenta a un equipo de cinco más el portero. Emplear petos de colores para diferenciar a los equipos. El portero se coloca en la portería; no hay porteros en las porterías pequeñas. Hace falta un balón por juego. Se recomienda contar con una provisión adicional de balones.

Desarrollo: Organizar el equipo de siete jugadores con dos delanteros, cuatro centrocampistas y un pivote defensivo. Organizar el equipo de cinco jugadores con cuatro defensores y un centrocampista defensivo por delante de la defensa. El equipo de siete jugadores intenta marcar gol en la portería reglamentaria y defiende las porterías pequeñas. El equipo de cinco jugadores consigue la posesión del balón interceptando pases, robando el balón al rival o recibiéndolo del portero después de una parada. El equipo de cinco jugadores puede marcar gol en cualquiera de las dos porterías pequeñas situadas en la línea central. El juego es continuo e ininterrumpido.

Forma de puntuación: El equipo de siete jugadores consigue 2 puntos por un gol y 1 punto por un tiro a puerta detenido por el portero. El equipo de cinco jugadores consigue 1 punto por meter el balón en cualquiera de las dos porterías pequeñas. El equipo que logre más puntos gana.

Consejos prácticos: El equipo de cinco jugadores, ya que está en inferioridad numérica, debe colocarse para proteger las áreas más centrales desde las que la probabilidad de marcar gol es mayor. Imponer restricciones para que el ejercicio sea más exigente para el equipo de siete jugadores (como, por ejemplo, pases únicamente de dos o tres toques) o hacer hincapié en aspectos específicos de las tácticas ofensivas y defensivas.

Minutos: 25

Jugadores: De 12 a 16

Objetivos: Coordinar el ataque y la defensa del equipo; mejorar la habilidad de los jugadores para competir en situaciones de 1 contra 1; desarrollar las técnicas individuales de regate, conducción y protección del balón y entradas defensivas.

Organización: Utilizar conos para señalizar un campo de juego de 45 por 65 m. Organizar dos equipos de igual tamaño; emplear petos de colores para diferenciarlos. Cada equipo se sitúa en una mitad del campo. Es necesario un balón por juego.

Desarrollo: Comenzar con un saque inicial desde el centro del campo. Se aplican las reglas del fútbol normales salvo el método de puntuación. Se marcan goles conduciendo el balón a través de la línea de meta del rival en lugar de tirando a puerta. Toda la línea de fondo se considera línea de gol. No hay porteros.

Forma de puntuación: Los equipos consiguen 1 punto por cruzar la línea de meta del rival con el balón controlado. El equipo que consiga más puntos gana.

Consejos prácticos: Requerir un marcaje defensivo al hombre en el que cada defensor tiene asignado un rival determinado. Se aplican los principios fundamentales del ataque y de la defensa en equipo. Los jugadores han de intentar desbordar a los rivales solo en determinadas situaciones y áreas del campo. Animar a los jugadores a desbordar a los rivales en el tercio ofensivo del campo, el área más cercana a la línea de meta del rival. Superar a un rival con el regate en dicha área crea oportunidades de gol, de modo que el posible beneficio compensa totalmente el riesgo de perder la posesión. Disuadir a los jugadores a intentar el regate en el tercio defensivo del equipo (la parte del campo más cerca de la propia línea de meta), donde la pérdida del balón puede provocar un gol en contra.

(135) Regate táctico

Minutos: 20

Jugadores: De 12 a 16 (2 equipos de igual tamaño de 5 a 8 jugadores más 2 porteros).

Objetivos: Fomentar el uso apropiado de las técnicas de regate en situaciones de partido; desarrollar la resistencia.

Organización: Utilizar conos para crear un área de juego de 35 × 55 m con una portería reglamentaria centrada en cada línea de fondo. Dividir el campo en tres zonas de 20 × 35 m. Organizar dos equipos de igual tamaño. En cada portería se sitúa un portero. Emplear petos de colores para diferenciar a los equipos. Es necesario un balón por juego; se recomienda tener una provisión adicional de balones.

Desarrollo: Comenzar con un saque inicial desde el centro del campo. Cada equipo defiende una portería y puede marcar en la portería rival. Se aplican las reglas normales del fútbol salvo las siguientes excepciones: (1) Se juega a un máximo de tres toques en el tercio defensivo del campo; (2) en la zona central, los jugadores pueden conducir el balón para avanzar por el campo cuando no hay defensores cerca, pero no pueden encarar y desbordar a defensores con el regate; y (3) en el tercio ofensivo del campo, los jugadores deben superar al menos a un rival con el regate antes de pasar a un compañero o disparar a puerta. Violar las restricciones de zona provoca la pérdida de la posesión del balón a favor del equipo rival.

Forma de puntuación: El equipo que marque más goles gana.

Consejos prácticos: Las técnicas de regate y conducción de balón son empleadas con mayor efectividad en el tercio ofensivo del campo, un área en la que el riesgo de perder el balón es compensado con creces por la posibilidad de crear una oportunidad de gol. Hay que animar a los jugadores a intentar regatear a los adversarios en el tercio ofensivo. El regate excesivo, especialmente en los tercios defensivo y central del campo, es desaconsejado porque en estas áreas la pérdida del balón a menudo se traduce en oportunidades de gol para el rival.

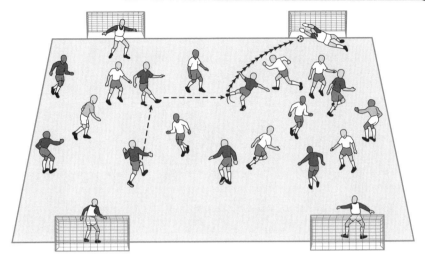

Minutos: 25

Jugadores: 22 (2 equipos de 8 más 4 porteros y 2 jugadores neutrales)

Objetivos: Cambiar constantemente el juego ofensivo para librarse de la presión defensiva; desarrollar combinaciones de contraataque efectivas; mejorar la resistencia física.

Organización: Utilizar conos chinos para crear un campo de 55 × 70 m. Colocar dos porterías reglamentarias en cada línea de meta con una separación de unos 20 m. Los equipos se sitúan en cada una de las mitades del campo con un portero en cada portería. Emplear petos de colores para diferenciar a los equipos. Un equipo tiene el balón para comenzar.

Desarrollo: Cada equipo defiende las dos porterías de su línea de meta y puede marcar en cualquiera de las dos porterías rivales. Los jugadores neutrales se unen al equipo con el balón para crear una ventaja de 10 contra 8 para el equipo atacante. Se aplica el resto de reglas habituales.

Forma de puntuación: El equipo que marque más goles gana.

Consejos prácticos: Animar a los jugadores a que ataquen la portería más vulnerable del rival (la menos defendida). Pueden hacerlo cambiando rápidamente el juego ofensivo para desequilibrar a los defensores y exponer sus debilidades. Para que el juego sea más exigente, imponer restricciones a los jugadores más avanzados (como limitar a dos el número de toques para el pase y la recepción).

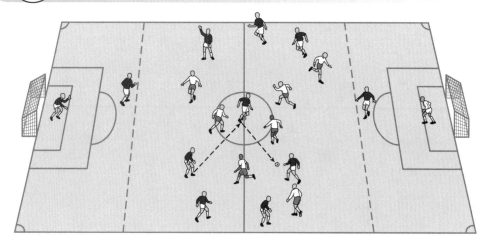

Minutos: 25

Jugadores: 19 (equipo de 10 jugadores y equipo de 7 jugadores más 2 porteros).

Objetivos: Desarrollar un juego efectivo de transiciones ofensivas y defensivas; ensayar las tácticas de equipo para el ataque y la defensa.

Organización: Jugar en un campo reglamentario con una portería de dimensiones normales en cada línea de meta. Trazar, mediante conos, dos líneas paralelas a las líneas de fondo situadas aproximadamente a 30 m de las porterías para dividir el campo en tres zonas. Organizar un equipo de diez y otro de siete jugadores; emplear petos de colores para diferenciar a los equipos. En cada portería se sitúa un portero. Es necesario al menos un balón; se recomienda contar con una provisión adicional de balones.

Desarrollo: Comenzar con un saque inicial desde el centro del campo. Cada equipo defiende una portería y puede marcar en la portería rival. El equipo de 10 jugadores debe dar tres o menos toques para pasar y recibir el balón; se aplica el resto de normas del reglamento. El equipo de 7 jugadores no tiene restricciones en cuanto al número de toques. El entrenador o un asistente actúan como árbitro. Cada pocos minutos, el árbitro interrumpe el juego y concede un saque de falta en el tercio defensivo al equipo de 7 jugadores. Cuando se lanza el saque de falta, todos los miembros del equipo de 10 jugadores (equipo defensor) deben estar en la zona central. El equipo de 7 jugadores debe utilizar el saque de falta para enviar un pase largo hacia el espacio detrás del equipo de 10 jugadores (equipo defensor). Los rivales no pueden entrar en su zona defensiva, señalizada mediante la fila de conos, hasta que un jugador del equipo de 7 entre en dicha zona y toque el balón. En ese momento, los defensores se repliegan para defender su portería.

Forma de puntuación: Conceder 1 punto por un tiro a puerta detenido por el portero y 2 puntos por un gol marcado. El equipo que marque más goles gana.

Consejos prácticos: Animar a los jugadores a que avancen rápidamente como una unidad organizada cuando ataquen. Los defensores han de jugar como una unidad compacta y han de replegarse con carreras rápidas y directas para proteger el espacio por detrás de la defensa.

Minutos: De 20 a 25

Jugadores: 20 (3 equipos de 6 más 2 porteros)

Objetivos: Aprovechar la anchura y la profundidad del campo para atacar el lado defensivo en inferioridad numérica.

Organización: Utilizar conos para señalizar un área de 35 por 55 m con una portería reglamentaria situada en el centro de cada línea de meta. Organizar tres equipos de seis jugadores cada uno. Los equipos A y B comienzan dentro del área de juego; cada equipo defiende una portería. Los jugadores del equipo C están situados fuera del campo a lo largo del perímetro como jugadores neutrales, uno en cada línea de banda y dos en cada línea de fondo. Emplear petos de colores para diferenciar a los equipos. En cada portería hay un portero.

Desarrollo: Los equipos A y B compiten entre sí. Los jugadores pueden servirse de los jugadores neutrales en las bandas y en las líneas de fondo (equipo C) como opciones de pase cuando tengan la posesión del balón, creando una ventaja numérica de 12 contra 6 para el equipo atacante. Los jugadores neutrales no pueden entrar en el área de juego, pero sí pueden desplazarse por las líneas del perímetro. Los neutrales en las bandas pueden dar dos toques para recibir y pasar el balón; los neutrales en las líneas de fondo deben devolver el balón al área de juego al primer toque. Jugar durante 5 minutos o hasta que alguien marque un gol (lo que ocurra antes), tras lo cual los jugadores de uno de los equipos centrales (A o B) intercambian posiciones con el equipo C y el juego continúa. Jugar varias rondas.

Forma de puntuación: Conceder 1 punto por gol marcado. El equipo que consiga más puntos gana.

Consejos prácticos: El equipo atacante ha de servirse de los jugadores neutrales para crear oportunidades de gol. Los jugadores deberán variar el tipo y la distancia de sus pases, incluyendo pases largos a la espalda de la defensa rival hacia los jugadores neutrales ubicados en las líneas de fondo. Imponer restricciones (dos toques, tres toques, etc.) en función de la edad y habilidad de los jugadores.

Minutos: De 20 a 25

Jugadores: 18 (2 equipos de 8 más 2 porteros)

Objetivos: Desarrollar apoyo total del equipo en el avance desde el tercio defensivo al tercio ofensivo; coordinar las combinaciones de pases del equipo.

Organización: Jugar en un campo de 60 × 75 m dividido en tres zonas de 60 × 25 m. Colocar una portería reglamentaria centrada en cada línea de fondo. Formar dos equipos (equipo A y equipo B) de ocho jugadores cada uno. Cada equipo comienza con tres jugadores en su tercio defensivo, tres jugadores en el tercio central y dos jugadores en la zona de ataque (formación 3-3-2). Emplear petos de colores para diferenciar a los equipos. En cada portería hay un portero. Un portero recibe el balón para comenzar el juego.

Desarrollo: Para comenzar el juego, el portero distribuye el balón a un compañero situado en el tercio defensivo del campo. Los jugadores pueden llevar el balón al tercio central ya sea conduciéndolo ellos mismos o pasando a un compañero, tras lo cual un jugador que estuviera en el tercio defensivo se desplaza al tercio central, creando una superioridad de 4 contra 3 en dicha zona. Los cuatro compañeros en la zona central intentan pasar el balón o conducirlo hasta el tercio final del campo para crear una situación de 3 contra 3. Los jugadores del equipo defensor no pueden cruzar de una zona a otra; deben defender exclusivamente las áreas asignadas. Los equipos intercambian los papeles con cada cambio de posesión o después de gol. Por lo demás, se aplican las reglas normales del fútbol.

Forma de puntuación: Conceder 1 punto por gol marcado. El equipo que consiga más puntos gana.

Consejos prácticos: Los equipos han de practicar el lema "la seguridad primero" en su tercio defensivo, donde la pérdida de balón puede costar un alto precio. Los jugadores pueden correr mayores riesgos en el tercio ofensivo en el que perder la posesión no es tan crítico. Imponer restricciones para hacer hincapié en conceptos específicos o para hacer que la actividad sea más difícil. Por ejemplo, limitar a los jugadores a dos toques en su tercio defensivo, tres toques en el tercio central y toques ilimitados en el tercio ofensivo.

Minutos: 25

Jugadores: 20 (2 equipos de 9 jugadores de campo más 2 porteros)

Objetivos: Aprovechar el hueco detrás de la defensa rival; practicar un estilo de ataque directo, de atrás adelante, empleando pases largos precisos.

Organización: Jugar en un campo reglamentario con una portería reglamentaria centrada en cada línea de fondo. Utilizar conos o cuerdas para señalizar una línea de fuera de juego situada a 25 m de cada línea de meta. Cada equipo comienza en una mitad del campo, entre las líneas de fuera de juego. Hay un portero en cada portería. Emplear petos de colores para diferenciar a los equipos. Se requiere un balón; es aconsejable tener una provisión adicional de balones.

Desarrollo: Comenzar con un saque inicial en el centro del campo. Se aplican las reglas habituales del fútbol salvo una pequeña variación de la regla del fuera de juego. Un jugador del equipo atacante puede estar hasta la línea de fuera de juego, situada a 25 m de la portería rival, y no incurrir en fuera de juego, aunque esté más adelantado que el último defensor. Esta variación evita que el equipo defensor comprima el campo y permite al equipo atacante jugar enviando pases largos a la espalda de la última línea de la defensa.

Forma de puntuación: Se aplica el sistema de puntuación normal. El equipo que marque más goles gana el juego.

Consejos prácticos: Animar a los equipos a aprovechar la ventaja de la generosa variación del fuera de juego. Cuando sea posible, los jugadores con posiciones más retrasadas han de intentar jugar el balón en profundidad hacia sus compañeros más adelantados. A modo de variación, limitar a dos el número de toques que los jugadores pueden dar en su campo. Esto fomenta un movimiento del balón rápido y un juego más directo.

(141) 10 contra 5 (+5)

Minutos: 20

Jugadores: 20 (2 equipos de 10)

Objetivos: Emplear las combinaciones de pases y el movimiento del balón para mantenerlo fuera del alcance del equipo rival; practicar los principios defensivos de *pressing* inmediato y cobertura.

Organización: Utilizar conos para señalizar un cuadrado de juego de 45 m de lado, dividido por una línea central. Organizar dos equipos de 10 jugadores cada uno; emplear petos de colores para diferenciarlos. Comenzar con un equipo en cada mitad del campo. Es necesario un balón; disponer alrededor del campo una provisión adicional de balones.

Desarrollo: Un equipo recibe el balón para comenzar. Dicho equipo intenta mantenerlo fuera del alcance de los adversarios dentro de su mitad del campo. Cinco jugadores del equipo rival entran en dicha mitad del campo para robar el balón, creando un 10 contra 5 en dicha área. Los jugadores del equipo con la posesión pueden dar dos toques para recibir y pasar el balón. Cuando el equipo defensor roba el balón, los jugadores deben pasarlo a un compañero ubicado en la otra mitad del campo para luego correr y situarse en la misma. El equipo que pierde la posesión envía inmediatamente cinco jugadores a la mitad opuesta del campo para recuperar la posesión. El juego continúa entre una mitad y la otra con cada cambio de posesión. La relación entre atacantes y defensores es siempre de 10 contra 5 en cada mitad del campo.

Forma de puntuación: Ninguna; los equipos procuran mantener la posesión en su campo el máximo tiempo posible.

Consejos prácticos: Animar a los jugadores a recibir y a pasar el balón rápida y eficientemente y a cambiar el juego (posición del balón) a menudo. La clave del éxito está en jugar con sencillez y en utilizar a los compañeros de apoyo como opciones de pase. El equipo defensor, en inferioridad numérica de 10 a 5, debe presionar el balón y limitar las opciones de pase para conseguir la posesión del balón.

Minutos: 15

Jugadores: 16 (2 equipos de 8)

Objetivos: Practicar el ataque y la defensa en grupo, empleando los principios de ataque y defensa de equipo.

Organización: Utilizar conos para señalizar un área de 30 × 40 m, con una zona de 4 m de profundidad en cada extremo del campo. Organizar dos equipos de ocho jugadores cada uno; emplear petos de colores para diferenciarlos. Cada equipo defiende una zona de fondo. Cuatro jugadores de cada equipo comienzan dentro del área de juego para defender su zona de fondo; los cuatro miembros restantes se sitúan en sus respectivas zonas de fondo, distribuidos por toda la superficie. Es necesario un balón por juego; se recomienda tener una provisión adicional de balones.

Desarrollo: Un equipo recibe la posesión del balón. Los cuatro jugadores dentro del área de juego atacan la zona de fondo del rival, mientras que sus cuatro compañeros descansan en su propia zona de fondo. Los cuatro defensores intentan evitar que el equipo atacante pase o conduzca el balón hasta su zona de fondo. Todos los pases han de ser rasos; no está permitido bombear balones por encima de los defensores. Si el equipo atacante pasa el balón a un rival situado en la zona de fondo del equipo defensor, cuenta como punto. Justo después de puntuar o de perder el balón, los dos grupos de jugadores dentro del área de juego cambian de lugar con sus compañeros de las zonas de fondo y el juego continúa.

Forma de puntuación: Otorgar 1 punto por conducir o pasar el balón hacia la zona de fondo del rival. El equipo que consiga más puntos gana el juego.

Consejos prácticos: El equipo defensor debe ejercer presión inmediata sobre el balón y estar situado para cortar los pases en profundidad que dividen la defensa. A la inversa, el equipo atacante ha de practicar un rápido movimiento del balón para desequilibrar al grupo defensor y crear huecos dentro de la defensa.

Minutos: 15

Jugadores: 15 (más un pasador/entrenador)

Objetivos: Mantener la posesión del balón frente a un número mayor de rivales; iniciar un contraataque inmediato tras la recuperación del balón.

Organización: Utilizar conos para señalizar un área de juego de 30 × 40 m. Organizar tres equipos de cinco jugadores cada uno. Los equipos llevan petos de diferentes colores. Todos los jugadores comienzan dentro de la pista. El entrenador (o pasador) se sitúa fuera del campo con un conjunto de seis a ocho balones. Un equipo es designado como el defensor, para la primera ronda, y los otros dos son atacantes.

Desarrollo: Dos equipos de cinco atacantes unen fuerzas para mantener el balón fuera del alcance del equipo defensor, creando una ventaja de 10 contra 5. El pasador inicia el juego pasando el balón a uno de los atacantes en el área de juego. Los atacantes juegan a un máximo de tres toques. Si un defensor roba el balón, intenta pasarlo a un compañero defensor que corre hacia el exterior de la pista. Los defensores pueden salir de la pista por cualquiera de los cuatro lados. El equipo atacante intenta evitar el contraataque. Tras el contraataque, o si el balón sale involuntariamente del área de juego, el pasador envía otro balón al equipo atacante y el juego continúa. Jugar hasta agotar la provisión de balones. Repetir el juego cambiando el equipo defensor.

Forma de puntuación: Conceder a los equipos atacantes 1 punto por ocho o más pases consecutivos sin perder la posesión. Conceder al equipo defensor 1 punto por cada contraataque. El equipo que logre más puntos gana la ronda.

Consejos prácticos: Los atacantes han de aprovechar la anchura y la profundidad del campo para dispersar a los defensores y crear líneas de pase abiertas. De forma contraria, el equipo defensor debe presionar el balón para limitar las opciones de pase, desbaratar el ataque y forzar errores.

Minutos: 20

Jugadores: 22 (2 equipos de 10 jugadores de campo más 2 porteros)

Objetivos: Desarrollar las combinaciones ofensivas necesarias para crear oportunidades de gol; defender en una situación de inferioridad numérica.

Organización: Jugar en un campo de 75 × 45 m dividido por una línea central. Colocar en cada línea de meta una portería reglamentaria. Organizar dos equipos de 10 jugadores cada uno, más los porteros. Cada equipo sitúa 6 jugadores en la mitad del campo rival y 4 jugadores en su propia mitad, creando una situación de 6 contra 4 en cada mitad. Los porteros están en sus respectivas porterías. Es necesario un balón; es recomendable tener una provisión adicional de balones.

Desarrollo: El entrenador comienza el juego pasando el balón a uno de los grupos de seis atacantes que intentan marcar frente a los cuatro defensores y el portero en su misma mitad del campo. Si un defensor roba el balón, debe pasarlo a un compañero en la mitad opuesta del campo para iniciar el ataque sobre la portería rival. El equipo que pierde la posesión procura evitar los pases hacia su propia mitad. El juego se mantiene ininterrumpido durante 20 minutos. Se aplican las reglas habituales del fútbol.

Forma de puntuación: El equipo que consiga más puntos gana.

Consejos prácticos: El grupo de seis atacantes ha de aprovechar la anchura y la profundidad del campo para desequilibrar a los cuatro defensores y crear opciones de gol. Por su parte, los defensores en inferioridad numérica han de intentar limitar las opciones de ataque, presionar sobre el balón y no perder la cara al balón.

(145) 9 contra 9 en seis miniporterías

Minutos: 20

Jugadores: 18

Objetivos: Mejorar la técnica del equipo para mantener el balón fuera del alcance del rival bajo la presión de tiempo y espacio limitados; cambiar el juego ofensivo como respuesta a la presión defensiva.

Organización: Jugar entre las áreas de penalti en un campo reglamentario. En la línea frontal del área de penalti se sitúan tres porterías de 4 m de anchura a una distancia de 10 m entre sí. Organizar dos equipos de nueve jugadores cada uno. Los equipos comienzan en las mitades opuestas del campo y defienden las tres miniporterías de su línea de fondo. Los equipos pueden marcar gol en cualquiera de las tres porterías rivales. No hay porteros. Hay un balón en juego.

Desarrollo: Los equipos disputan un 9 contra 9 entre las seis miniporterías. Se aplican las reglas habituales del futbol salvo que no hay saques de esquina y no está en vigor la regla del fuera de juego: ante cualquier interrupción, el juego se reanuda mediante un saque de banda.

Forma de puntuación: Un balón que entre en una portería por debajo de la altura de la cabeza cuenta como 1 punto. El equipo que consiga más puntos gana.

Consejos prácticos: Para que el juego sea más complicado, es posible limitar a los jugadores a tres o menos toques para recibir y pasar el balón o reducir el tamaño del área para restringir en mayor medida el tiempo y el espacio disponibles para el pase y la recepción del balón.

Minutos: 20

Jugadores: 18 (16 jugadores de campo más 2 porteros)

Objetivos: Practicar las combinaciones ofensivas con centros desde las bandas; defender los centros al área.

Organización: Jugar en un campo de 45 × 20 m, dividido por una línea central. Colocar una portería reglamentaria en cada línea de fondo. Organizar dos equipos de ocho jugadores cada uno más porteros. Emplear petos de colores para diferenciar a los equipos. Hay un portero en cada portería.

Desarrollo: Cuatro jugadores de cada equipo comienzan dentro del área de juego. Los jugadores restantes de cada equipo están situados a lo largo de las líneas del perímetro de la mitad ofensiva del campo (la mitad en la que su equipo está atacando), dos en cada línea de banda. Los jugadores del perímetro pueden combinar con sus compañeros dentro del área de juego, pero no pueden entrar en el campo ni tampoco pueden pasarse el balón entre ellos. Los jugadores del perímetro solo pueden emplear dos toques para la recepción y el pase del balón. Se les anima a enviar centros al área siempre que sea posible. El equipo defensor (el equipo sin el balón) defiende solo con cuatro jugadores; sus jugadores del perímetro están inactivos hasta que su equipo obtenga la posesión y avance hacia el campo del rival. Cada pocos minutos los jugadores interiores y los del perímetro intercambian roles. El juego es continuo durante 20 minutos.

Forma de puntuación: El equipo que marque más goles gana.

Consejos prácticos: Animar a los jugadores a servirse de sus compañeros de apoyo en la banda para aliviar la presión y estirar al equipo rival. Los jugadores del perímetro han de enviar centros al área siempre que sea posible para crear opciones de gol similares a las de partido.

Minutos: 20

Jugadores: 20 (2 equipos de 8 jugadores de campo y 4 porteros)

Objetivos: Practicar un estilo de juego directo enviando balones largos en profundidad; ofrecer a los porteros la oportunidad de entrenarse en la captura de balones altos.

Organización: Jugar en un campo reglamentario. Dividir el grupo en dos equipos de ocho jugadores de campo y dos porteros cada uno. Utilizar conos para señalizar un cuadrado de 15 m de lado en cada esquina del campo. Para comenzar, cada equipo se sitúa en una mitad del campo; los porteros se sitúan en cada uno de los cuatro cuadrados de las esquinas. Es necesario un balón; se recomienda contar con una provisión adicional de balones.

Desarrollo: Comenzar con un saque inicial en el centro del campo. Para conseguir un punto hay que centrar el balón hacia uno de los cuadrados de las esquinas del equipo rival para que el portero pueda recibir el balón directamente del aire. Por lo demás, se aplican el resto de reglas del fútbol. Los jugadores son incitados a centrar balones a los porteros rivales en cualquier oportunidad y, cuando sea posible, desde larga distancia. Para evitar los centros hacia sus porteros, el equipo defensor debe realizar un *pressing* inmediato al balón. Cuando un portero recibe el balón, lo distribuye inmediatamente a un compañero y el juego continúa. Los jugadores de campo no pueden entrar en los cuadrados de las esquinas.

Forma de puntuación: Conceder 1 punto por cada balón centrado a un portero rival que lo captura directamente en el aire. El equipo que consiga más puntos gana el juego.

Consejos prácticos: Animar a los atacantes a mover rápidamente el balón hacia áreas desde las que es posible enviar un centro en largo hacia el portero. El equipo defensor debe reaccionar en consecuencia para impedir el espacio y el tiempo necesarios para enviar el centro.

Minutos: 20

Jugadores: 20 (2 equipos de 9 jugadores más 2 jugadores neutrales)

Objetivos: Mantener la posesión del balón; crear oportunidades de jugar el balón adelante y en profundidad hacia un jugador diana.

Organización: Jugar en un campo de 45 × 70 m. Organizar dos equipos de 9 jugadores (8 jugadores están dentro del área de juego y 1 jugador, el blanco o jugador diana, se sitúa por detrás de la línea de fondo del rival). Designar a dos jugadores adicionales como jugadores neutrales que siempre se unen al equipo que tiene el balón para crear una ventaja de 10 contra 8 para el equipo atacante. No son necesarios los porteros.

Desarrollo: Se aplican las reglas del fútbol habitual salvo el sistema de puntuación. El objetivo final es que el equipo complete un pase a su jugador diana que está situado por detrás de la línea de fondo del rival. El jugador diana puede desplazarse lateralmente a lo largo de la línea de fondo a fin de ofrecerse para el pase, pero no puede entrar en el campo. El equipo defensor intenta cortar las líneas de pase hacia el blanco. Cuando un defensor roba el balón, su equipo pasa inmediatamente al ataque y se unen los jugadores neutrales. Cuando un jugador completa un pase a su jugador diana, cambia de posición con él. El jugador diana original pasa a unirse con sus compañeros dentro del campo.

Forma de puntuación: Completar un pase al jugador diana equivale a 1 punto. El equipo que consiga más puntos gana el juego.

Consejos prácticos: Para mantener la posesión del balón, los jugadores deben ofrecer rápidamente a sus compañeros apoyo en los ángulos adecuados. Los jugadores han de pasar el balón con velocidad y cambiar frecuentemente el juego ofensivo para desequilibrar a los rivales y crear líneas de pase al jugador diana.

(149) Conservar la ventaja

Minutos: 20 (2 minijuegos de 10 minutos)

Jugadores: 20 (1 equipo de 8, un equipo de 10 y 2 porteros)

Objetivos: Proteger una ventaja de un gol a pocos minutos del final del juego.

Organización: Jugar en un campo de 45 × 70 m con una portería reglamentaria en cada línea de meta. Organizar un equipo de 10 jugadores de campo y un equipo de 8 jugadores de campo. En cada portería hay un portero. Es necesario un balón y se recomienda tener una provisión adicional de balones en cada portería.

Desarrollo: Cada equipo se sitúa en una mitad del campo y defienden su portería. El equipo de 8 jugadores comienza el juego con una ventaja de 1-0. El equipo de 10 jugadores comienza con la posesión del balón; el equipo de 8 jugadores intenta proteger su ventaja en el marcador aplicando los principios de presión inmediata sobre el balón, cobertura y basculación por detrás del balón, así como el de mantener una defensa compacta. Se aplican las reglas habituales del fútbol. El juego dura 10 minutos. Si el equipo de 10 o el de 8 marca antes de agotarse los 10 minutos, dicho equipo gana el partido y el juego finaliza. Repetir el juego cambiando las funciones de los equipos; dos jugadores del equipo de 10 pasan al equipo de 8.

Forma de puntuación: Un gol marcado por cualquier equipo pone fin al juego y supone la victoria del equipo que marca el gol. Si ningún equipo marca antes de que se agote el tiempo, el equipo de 8 jugadores gana el minijuego.

Consejos prácticos: Los defensores deben estar bien organizados para cerrar los huecos y evitar que el equipo atacante tenga tiempo para pensar. Hacer hincapié en los principios defensivos de presión sobre el balón, cobertura y basculación defensiva lejos del balón. El equipo atacante de 10 jugadores ha de concentrarse en cambiar el juego ofensivo, jugar de forma rápida y directa y en enviar el balón siempre que sea posible a la zona de máximo peligro, que es la frontal de la portería.

Minutos: 20 (series de rondas de 2 minutos)

Jugadores: 22 (2 equipos de 10 más 2 porteros)

Objetivos: Practicar el ataque en velocidad en situación de superioridad numérica; defender en situación de inferioridad numérica.

Organización: Jugar en un campo de longitud reducida (35 m de largo × 45 m de ancho) con una portería centrada en cada línea de meta. Organizar dos equipos de 10 jugadores y un portero. Cada equipo designa a 6 de sus jugadores como atacantes y a 4 como defensores. Los equipos forman una fila en sus respectivas líneas de meta con el portero bajo los palos. El entrenador (pasador) se sitúa en la línea de banda, cerca de la línea central, con bastantes balones.

Desarrollo: Para comenzar el entrenador golpea el balón hacia una de las líneas de meta. El equipo recibe el balón allí y ataca la portería del rival con los seis jugadores designados como atacantes; sus rivales defienden con los cuatro jugadores nombrados defensas. El equipo atacante tiene 120 segundos para marcar gol. Después de cada disparo o balón fuera de juego, el entrenador inmediatamente sirve otro balón al equipo atacante y el juego continúa. Tras marcar un gol o tras los 120 segundos, aquello que ocurra antes, los equipos vuelven a sus respectivas líneas de meta a fin de organizarse para la segunda ronda. El entrenador lanza un balón al equipo que anteriormente era defensor, el cual pasa a atacar con los seis atacantes designados. Repetir un número dado de veces las rondas de 2 minutos.

Forma de puntuación: Un gol marcado finaliza la ronda. El equipo que marque más goles gana.

Consejos prácticos: Los atacantes en situación de superioridad numérica han de atacar con velocidad, realizar un juego directo y enviar, siempre que sea posible, balones a las zonas de peligro (frontal de la portería). El equipo defensor debe proteger las zonas más peligrosas colocando jugadores entre el balón y la portería y cubriendo las zonas ofensivas más peligrosas.

(151) Marcar gol desde lejos

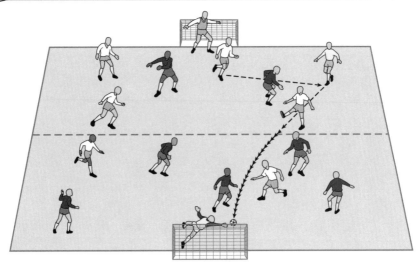

Minutos: 20

Jugadores: 16 (2 equipos de 7 jugadores de campo y un portero)

Objetivos: Practicar el remate a puerta desde el exterior del área de penalti; ofrecer a los delanteros oportunidades de marcar gol después de rechaces; ofrecer al portero la oportunidad de entrenarse.

Organización: Jugar en un campo de 35 × 25 m dividido por una línea central. Colocar una portería reglamentaria en el centro de cada línea de meta. Organizar dos equipos de siete jugadores de campo y un portero. Cada equipo comienza con cinco jugadores (centrocampistas) en su mitad defensiva del campo y con dos jugadores (delanteros) en la mitad del rival para crear una situación de 5 contra 2 en cada mitad. Situar una provisión de balones en cada portería.

Desarrollo: Un equipo tiene el balón para comenzar. Para iniciar el juego, el portero distribuye el balón a un compañero situado en la mitad defensiva del campo. Los cinco compañeros en esa zona mueven el balón con rapidez para crear una oportunidad de disparar a la portería rival. Todos los tiros deben realizarse en la mitad defensiva del campo (a 20 m o más de la portería del rival). Los dos delanteros situados en la mitad ofensiva del campo pueden rematar a puerta los rechaces del portero, pero no pueden recibir pases directos de sus compañeros ubicados en el campo contrario. Los dos delanteros pueden crearse sus propias oportunidades de gol si consiguen robar el balón a los rivales en su mitad del campo. Los jugadores deben permanecer en sus áreas asignadas durante todo el ejercicio.

Forma de puntuación: El equipo que marque más goles gana el juego.

Consejos prácticos: El énfasis recae en los tiros de larga distancia de los centrocampistas y en los remates de los delanteros tras los rechaces. Los delanteros pueden obtener su ración de "goles basura" simplemente estando en el lugar adecuado en el momento preciso, así es que deben acostumbrarse a seguir la trayectoria de cualquier disparo sobre la portería rival.

Minutos: 20

Jugadores: 20 (2 equipos de 8 más 4 jugadores neutrales)

Objetivos: Responder a la presión defensiva enviando rápidamente el balón a las áreas menos defendidas por los rivales con el objetivo de crear oportunidades de gol.

Organización: Jugar en un cuadrado de 45 m de lado. Utilizar conos o discos para representar porterías triangulares con lados de 4 m situadas en cada esquina del campo, aproximadamente 8 m dentro del campo desde la esquina. Organizar dos equipos de ocho jugadores cada uno. Designar cuatro jugadores adicionales como jugadores neutrales que siempre juegan con el equipo con el balón. Asignar a cada equipo dos porterías que deben defender y dos porterías para atacar. Un equipo recibe la posesión del balón para empezar.

Desarrollo: Los jugadores solo pueden jugar a tres toques. Al equipo con la posesión del balón se unen los jugadores neutrales para crear una ventaja de 12 contra 8 a favor del equipo atacante. Hay cambio de posesión si el equipo defensor roba el balón, si el balón sale fuera del campo tocado en última instancia por un jugador atacante o si un atacante da más de tres toques para recibir y jugar el balón. Los goles se marcan enviando el balón a través de cualquiera de los lados de las porterías triangulares de tres lados. No se produce cambio de posesión después de marcar gol; el equipo que marca conserva la posesión.

Forma de puntuación: Otorgar 1 punto por cada balón que entre por cualquier lado de la portería triangular. El equipo que consiga más puntos gana el juego.

Consejos prácticos: Hacer hincapié en mover el balón con rapidez, en el número limitado de toques y el cambiar con frecuencia el juego ofensivo.

Minutos: 20-25

Jugadores: 18

Objetivos: Practicar los principios defensivos de presión, cobertura, basculación y formación compacta en una situación de juego competitivo.

Organización: Jugar en un campo de 80 × 50 m. Emplear dos filas de discos para dividir el campo en tres zonas verticales de 18 m de anchura. Colocar dos miniporterías (2,5 m de anchura) en cada línea de fondo, en los puntos en los que las líneas de fondo se cortan con las filas de discos. Organizar dos equipos de nueve jugadores cada uno. Ambos equipos se colocan en formación 3-4-2. No son necesarios los porteros.

Desarrollo: Un equipo realiza el saque inicial en el centro del campo. Cada equipo defiende las dos porterías de su línea de fondo y puede marcar en las porterías del rival. Se aplican las reglas habituales del fútbol. Este juego hace hincapié en mantener una formación compacta, por lo que el equipo defensor ha de intentar comprimir el espacio en el lado del campo por el que el equipo atacante esté llevando la ofensiva. Para lograrlo, todos los jugadores del equipo defensor han de bascular hacia dicho lado del campo para que todos los defensores estén en el mismo tercio vertical del campo (o en el tercio adyacente) cuando se realice un disparo a puerta. El objetivo principal consiste en achicar huecos para reducir el espacio del que pueden disponer los atacantes.

Forma de puntuación: Un gol marcado vale 1 punto. Si un defensor está situado en la zona apartada (la más lejana a su portería) en el momento en que su equipo encaja un gol, el equipo atacante recibe 2 puntos adicionales.

Consejos prácticos: El equipo defensor debe utilizar todos los principios fundamentales de la defensa en equipo para cerrar las penetraciones y robar el balón. De modo inverso, el equipo atacante debe intentar desorganizar a la defensa moviendo el balón con rapidez y cambiando constantemente el juego ofensivo.

Minutos: 20

Jugadores: 18 (2 equipos de 7 jugadores de campo y 2 porteros más 2 jugadores neutrales).

Objetivos: Lograr que los jugadores sigan avanzando cuando tienen el balón; defender en situación de inferioridad numérica.

Organización: Jugar en un campo de 45 × 65 m con una portería reglamentaria colocada en el centro de cada línea de meta. Colocar una portería pequeña (4 m de ancho) a cada uno de los lados de la portería reglamentaria, cerca de las esquinas del campo. Utilizar conos para dividir el campo en tres zonas, dos de 25 m de ancho en los extremos y una (la zona central) de 20. Organizar dos equipos de siete jugadores de campo y un portero; designar como jugadores neutrales a dos jugadores adicionales que siempre van con el equipo atacante para crear una superioridad de 9 contra 7. Un portero se sitúa en cada portería reglamentaria. Es necesario un balón; colocar una provisión adicional de balones en cada portería.

Desarrollo: Los equipos defienden las tres porterías de su línea de fondo y pueden marcar en cualquiera de las tres porterías del rival, aunque los goles en la portería reglamentaria valen doble. Aparte del método de puntuación, se aplican las restantes reglas habituales. Además, los equipos no pueden marcar gol hasta que todos los jugadores estén ocupando la zona de ataque y la zona central: ningún jugador puede estar en el tercio defensivo cuando un compañero tira a puerta. Si esto ocurre, el gol no es válido.

Forma de puntuación: Un gol en la portería reglamentaria vale 2 puntos; un gol en las porterías pequeñas vale 1 punto. El equipo que consiga más puntos gana la competición.

Consejos prácticos: Animar a los atacantes a utilizar todo el campo (bandas y tercio ofensivo) para estirar a la defensa y crear huecos por los que penetrar con el balón.

Capítulo **9**

Juegos para porteros

El portero es el único jugador del equipo al que le está permitido utilizar las manos para recibir y controlar el balón. Además, los porteros deben llevar a cabo una serie única de habilidades que difieren en muchos aspectos a las empleadas por los jugadores de campo. Los porteros de más alto nivel combinan un alto grado de fortaleza mental junto a unas impresionantes condiciones físicas. Los porteros deben ser muy hábiles en la recepción de los balones que les llegan por el suelo y por el aire. Deben ser capaces de capturar y retener tiros desde distintos ángulos y distancias y han de estar dispuestos a lanzarse al aire para realizar una parada o tirarse a los pies de un atacante en carrera para desbaratar un contraataque. Los porteros deben desarrollar un exhaustivo dominio de la orientación para sacar ventaja a la colocación. Resumiendo, el portero ha de estar preparado ante lo imprevisto para realizar una gran parada (¡y evitar los goles es solo la mitad del trabajo!). Cuando ya ha hecho la parada, el portero es responsable de iniciar el ataque del equipo distribuyendo el balón con precisión a sus compañeros.

Si dejamos las demandas físicas a un lado, desde el punto de vista psicológico, el portero también ocupa la posición más exigente del terreno de juego. Aunque cada miembro del equipo debe asumir la responsabilidad de cualquier error físico y mental cometido durante el fragor de la competición, los errores de los porteros normalmente son castigados de forma más inmediata y más severa. Dicho con sencillez, un error del portero en la mayoría de los casos genera un gol encajado. No es una posición para pusilánimes y débiles de espíritu. Para rendir al máximo nivel con consistencia y regularidad, el portero debe reunir tanto unas herramientas físicas sobresalientes como un alto grado de fortaleza mental.

Siendo este el caso, encuentro bastante sorprendente que el portero normalmente sea el jugador más descuidado durante las sesiones de entrenamiento. A menudo se pasa la mayor parte de la sesión bajo los palos con órdenes explícitas de detener todos los tiros a puerta. Obviamente esto no es entrenamiento suficiente para la última línea defensiva del equipo, la barrera final que evita el gol del rival. El portero de fútbol es un especialista, muy parecido a los porteros de hockey y de lacrosse, que es un deporte muy popular en Estados Unidos, y debe ser entrenado como tal. Los juegos y ejercicios descritos en este apartado son más apropiados para jugadores de nivel intermedio y avanzado a los que previamente se les ha presentado las habilidades básicas del puesto. Todos los ejercicios pueden ser utilizados para depurar dichas habilidades, así como para complementar un entrenamiento específico más intenso.

Generalmente se acepta que los jugadores menores de 12 años no deberían especializarse únicamente en el puesto de portero. La mayoría no tienen la madurez física necesaria para llevar a cabo algunas de las acciones de los ejercicios, como lanzarse al suelo para hacer una parada o distribuir el juego mediante un saque con la mano a gran distancia. También es importante que los jugadores más jóvenes, incluyendo aquellos que están seguros de querer jugar como porteros, desarrollen los fundamentos básicos de toque del balón empleados normalmente por los jugadores de campo. Esto incluye varios tipos de pases en distancias cortas y largas, así como la habilidad para recibir y controlar los pases de sus compañeros (la regla de la cesión prohíbe que el portero utilice las manos para controlar el pase de un compañero). Los constantes cambios que experimenta el puesto de portero le exige que sea capaz de jugar el balón con los pies mucho más de lo que necesitaba en el pasado.

Minutos: 10

Jugadores: Número ilimitado (en parejas)

Objetivos: Mejorar la técnica del portero para coger y sujetar el balón; desarrollar suavidad en los guantes.

Organización: Los porteros forman parejas para este ejercicio. Los compañeros se sitúan cara a cara a una distancia de 3,5 m. Cada uno sostiene un balón con la mano derecha a la altura de la cabeza.

Desarrollo: Los compañeros lanzan el balón de forma simultánea con su mano derecha hacia la mano izquierda del compañero al tiempo que se desplaza lateralmente recorriendo el ancho del campo. Tienen que recibir el balón con las puntas de los dedos de una sola mano. Devuelven el balón lanzándolo con la mano izquierda hacia la mano derecha del compañero. Los compañeros recorren 10 veces la anchura del campo.

Forma de puntuación: Otorgar 1 punto de penalización al portero que deje caer el balón al suelo o que realice un mal lanzamiento. Cada jugador lleva la cuenta de sus puntos de castigo. El portero que acumule menos puntos gana.

Consejos prácticos: En todo momento deben mantener el equilibrio y un adecuado control del cuerpo. Los jugadores no deben cruzar las piernas en los desplazamientos laterales. Es posible aumentar la dificultad del ejercicio incrementando la velocidad de los lanzamientos.

(156) Parar balones con bote

Minutos: 15

Jugadores: Número ilimitado (en parejas)

Objetivos: Detener disparos bajos empleando la técnica de envolver el balón.

Organización: Los porteros (A y B) compiten en pareja. Utilizar conos para señalizar un área de 10 × 20 m para cada pareja. Representar, mediante banderas, una portería con una anchura de 4 m en cada línea de fondo. Cada portero se sitúa en una portería. El portero A empieza con el balón.

Desarrollo: El portero A lanza el balón o lo golpea de media volea para que bote justo delante de B, que intenta detenerlo utilizando la técnica de envolver el balón con los antebrazos. Si el portero B no consigue sujetar el balón, el portero A puede seguir la trayectoria del balón y rematar el rechace. Tras la parada o el gol, los porteros regresan a sus porterías originales y repiten cambiando los papeles. Jugar durante un tiempo determinado o hasta completar un número dado de disparos.

Forma de puntuación: Conceder 1 punto al portero que detenga y sujete el balón, sin rechaces. El portero que consiga más puntos gana.

Consejos prácticos: El portero debe desarrollar la habilidad de detener y sujetar los disparos con bote bajo, especialmente cuando el campo está mojado y resbaladizo. Para lograrlo, el portero debe situarse en línea con el balón y lanzarse hacia delante para amortiguar el disparo, agarrando firmemente el balón entre los antebrazos y el pecho. Los codos y los brazos han de estar apoyados contra el cuerpo por debajo del balón para evitar que este salga despedido. Los porteros no deben intentar coger el balón que viene botando directamente con las manos, ya que así se aumenta el riesgo de rebote.

Minutos: 10

Jugadores: Número ilimitado (en parejas)

Objetivos: Mejorar la técnica del portero para detener y capturar tiros potentes realizados a corta distancia.

Organización: Los compañeros se sitúan cara a cara a una distancia aproximada de 8 m. Es necesario un balón para este ejercicio; se recomienda tener cerca más balones.

Desarrollo: Los porteros golpean de volea el balón, pasándolo de uno a otro. Todos los disparos de volea han de ir dirigidos al pecho o a la cabeza del compañero para que no sea necesario lanzarse al suelo para detenerlos. Los porteros intentan detener y capturar la volea y luego devuelven el balón a su compañero de forma similar.

Forma de puntuación: Conceder 1 punto por cada volea parada y capturada sin que rebote. El portero que consigue más puntos gana.

Consejos prácticos: Animar a los porteros a que se sitúen por detrás del balón cuando este llegue, con los brazos estirados hacia delante y con los codos ligeramente flexionados. Las palmas han de estar abiertas y apuntar hacia arriba con los dedos ligeramente estirados. El balón es recibido con las puntas de los dedos y con las palmas, las manos estiradas y la cabeza por detrás del balón. Los porteros han de echar ligeramente hacia atrás las manos en el contacto con el balón para amortiguar el impacto.

(158) Manejar balones bajos

Minutos: De 10 a 15

Jugadores: 10

Objetivos: Mejorar la técnica del portero para recibir balones a baja y media altura.

Organización: Utilizar conos para señalizar un área de 35 × 55 m, dividida por una línea central. Un portero y cuatro jugadores de campo se sitúan en cada mitad del campo. Cada jugador de campo tiene un balón.

Desarrollo: Los jugadores de campo en ambas mitades del campo conducen sus balones de forma aleatoria. Cada pocos segundos, los porteros gritan simultáneamente el nombre de un jugador situado en la mitad opuesta del campo. Dicho jugador rápidamente dispara un tiro a baja altura al portero del campo contrario. El portero recibe el balón empleando la técnica adecuada, lo devuelve con un saque de mano al jugador que disparó y luego nombra a otro jugador. El ejercicio continúa durante varios minutos mientras los porteros reciben disparos a media y baja altura.

Forma de puntuación: Los porteros son penalizados con 1 punto si no consiguen capturar el tiro. El portero que acabe con menos puntos de penalización gana.

Consejos prácticos: Animar a los porteros a situarse frente al jugador que dispara y a avanzar para detener el balón. Los jugadores de campo varían el tipo de disparo, entre balones rasos y a la altura de la rodilla.

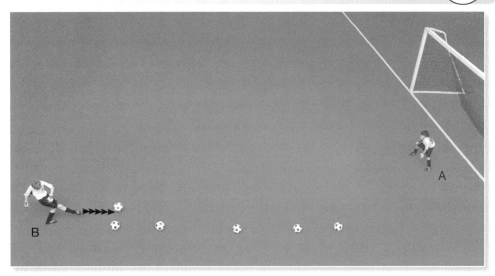

Minutos: 15

Jugadores: 2 porteros

Objetivos: Practicar la parada de tiros realizados desde distintos puntos dentro del área de penalti; desarrollar movilidad y juego de pies.

Organización: Jugar en un extremo de un campo reglamentario. Un portero (A) comienza bajo los palos; el otro portero (B) coloca una fila de seis balones que apunta hacia la portería. El primer balón está situado a 15 m de la línea de fondo, alineado con uno de los postes. Los otros balones están alineados con el primero, a una distancia de 11, 9, 7, 5 y 3 m del poste.

Desarrollo: El portero B (rematador) realiza seis tiros seguidos, comenzando desde el balón más alejado de la portería y siguiendo hasta el más cercano. El portero A intenta detener todos los disparos. Para lograrlo, después de cada intento de parada, el portero A debe volver a colocarse rápidamente en posición para detener el siguiente disparo, que es realizado desde un ángulo ligeramente distinto. Después de seis disparos, los porteros intercambian posiciones y repiten la ronda. Jugar un total de 8 a 10 rondas.

Forma de puntuación: Los porteros reciben 1 punto por cada parada hasta un máximo total de 6 puntos por ronda. El portero que tenga más puntos gana la competición.

Consejos prácticos: El portero defensor ha de intentar capturar todos los tiros o, al menos, despejarlos lejos de la portería. Después de cada disparo, el portero defensor ha de prepararse y volver a colocarse en función de la ubicación del balón, para estrechar el ángulo de tiro.

(160) Reflejos y parada

Minutos: De 15 a 20 minutos

Jugadores: 4 porteros

Objetivos: Parar disparos de volea realizados cerca de la portería.

Organización: Jugar en un extremo de un campo reglamentario con una portería de dimensiones normales. Colocar conos en forma de cuadrado de 3 m de lado a 10 m del centro de la portería. Organizar dos equipos de dos porteros cada uno (A y B; C y D). El portero A comienza en la portería y su compañero B se sitúa a un lado de la misma; el portero C se coloca en el centro del cuadrado de 3 m y su compañero D está al otro lado de la portería.

Desarrollo: Para comenzar, el portero B golpea el balón raso hacia el portero C. C detiene el balón utilizando la técnica de recogerlo envolviéndolo con los antebrazos pegados al cuerpo por debajo del balón y luego intenta marcar gol al portero A soltando el balón y conectando una volea. Tras el tiro, A y B intercambian posiciones, al igual que C y D. Repetir hasta completar 10 voleas a puerta y luego hacer que los equipos cambien de posiciones y volver a repetir. Jugar un total de cinco rondas (50 tiros a puerta) con cada equipo.

Forma de puntuación: El equipo que encaje el menor número de goles gana la competición.

Consejos prácticos: Los porteros practican la recepción de los balones rasos con la técnica de recogerlo envolviéndolo con los antebrazos y también trabajan el tiempo de reacción y los reflejos al intentar detener las potentes voleas realizadas desde una distancia corta. A modo de variación, es posible que un delantero se sitúe a 4-5 m de la portería para rematar cualquier balón rechazado que el portero no logre capturar.

Minutos: 20

Jugadores: 6 (4 tiradores y 2 porteros)

Objetivos: Mejorar la técnica para detener disparos a puerta; mejorar la preparación física.

Organización: Los porteros forman parejas para competir. Jugar en un extremo de un campo reglamentario con una portería de dimensiones normales. Colocar 16 balones en la frontal del área de penalti con la misma distancia de separación entre ellos. Cuatro tiradores se sitúan a unos 20 m de la portería. Uno de los porteros se coloca bajo los palos.

Desarrollo: Los lanzadores se turnan para realizar un tiro a puerta a balón parado. Después de cada parada o gol, el siguiente tirador inicia inmediatamente su aproximación al balón. Permitir al portero el tiempo justo para que se prepare para el siguiente disparo. Continuar el ejercicio hasta que se agoten los balones, luego volver a colocar los balones para la siguiente ronda con un portero distinto. Disputar un total de seis rondas, tres con cada portero.

Forma de puntuación: El portero recibe 1 punto por cada parada. El portero que consiga más puntos gana la competición.

Consejos prácticos: El portero ha de llevar la ropa adecuada (pantalones acolchados, camisetas de manga larga con los codos acolchados) para reducir la probabilidad de sufrir moratones y contusiones al lanzarse repetidamente al suelo para detener los disparos. Reducir la distancia de tiro con los jugadores más jóvenes.

(162) Cerrar los ángulos

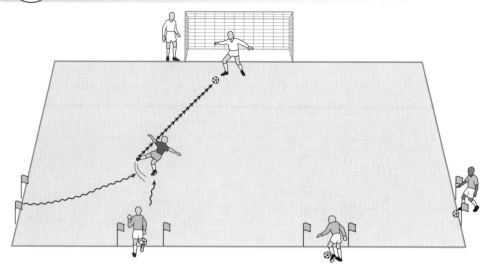

Minutos: 15

Jugadores: 6 (4 tiradores y 2 porteros)

Objetivos: Mejorar la posición para cerrar el ángulo de tiro; ofrecer la oportunidad de practicar la parada de tiros a puerta.

Organización: Jugar en un extremo de un campo reglamentario. Utilizar conos para representar cuatro puertas de 2 m de ancho: una cerca de cada esquina de la frontal del área de penalti y otra a cada lado del área de penalti. Un tirador se sitúa en cada puerta y cada uno tiene tres balones. El portero se sitúa en la portería.

Desarrollo: Los tiradores, por turnos, conducen el balón a través de sus respectivas puertas y tiran a portería desde una distancia de 10 o más metros. El portero puede salir de la portería para estrechar el ángulo de tiro y realizar la parada. Después de cada tiro o parada, el portero vuelve a la portería, se coloca en posición y se prepara para el siguiente disparo. Cada tirador realiza 3 disparos, hasta un total de 12 tiros por ronda. Repetir con un portero diferente en la portería.

Forma de puntuación: El portero consigue 1 punto por cada parada. El portero que consiga más puntos en total gana la competición. Jugar al menos cuatro rondas.

Consejos prácticos: Centrar la atención en un juego de pies adecuado y en una colocación óptima para reducir el ángulo de tiro. El portero ha de colocar los pies justo antes del tiro a puerta.

Minutos: 15

Jugadores: 6 (4 pasadores y 2 porteros)

Objetivos: Mejorar la precisión del saque con la mano.

Organización: Jugar en una mitad de un campo reglamentario con una portería de dimensiones normales centrada en la línea de meta. Utilizar conos para representar cinco porterías de 2,5 m de ancho en distintas posiciones del campo (una en el círculo central, una en cada banda a unos 30 m de la línea de meta y una en cada esquina superior del área de penalti). Un portero comienza en la portería reglamentaria y el otro espera a un lado de la misma portería. Los pasadores se colocan en varios puntos fuera del área de penalti, cada uno con un suministro de balones.

Desarrollo: Los pasadores, por turnos, envían balones a la portería. El portero, tras capturar el balón, distribuye inmediatamente el juego hacia compañeros imaginarios sacando con la mano hacia una de las porterías pequeñas. El ejercicio continúa hasta que el portero haya realizado 3 saques con la mano a cada una de las miniporterías hasta alcanzar un total de 15 saques. Repetir la ronda con el otro portero. Realizar 2 rondas con cada portero.

Forma de puntuación: Conceder 1 punto por cada saque con la mano que pase a través de una portería situada en el borde del área de penalti, 2 puntos por cada saque que atraviese las porterías de las bandas y 3 puntos por cada balón que atraviese la miniportería del círculo central. El portero que consiga más puntos gana.

Consejos prácticos: Los porteros pueden elegir de entre varias técnicas de saque con la mano. En distancias cortas, es posible utilizar la técnica de saque raso, como si quisiera derribar bolos, o de lanzamiento lateral mientras que para distribuir el balón a distancias medias y largas es necesario emplear la técnica que es similar a un lanzamiento de jabalina o de béisbol. Este ejercicio no es apropiado para los jugadores más jóvenes que no tienen la fuerza física y la habilidad para sacar con la mano a grandes distancias.

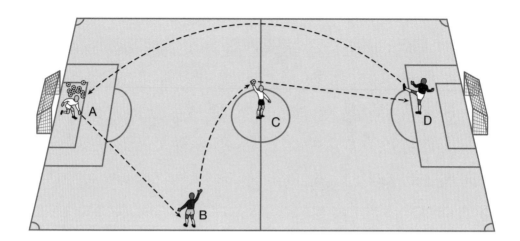

Minutos: 20

Jugadores: 4 porteros

Objetivos: Mejorar la técnica del portero para distribuir el balón con precisión a distintas distancias.

Organización: Jugar en un campo reglamentario con una portería de dimensiones normales en cada línea de meta. El portero A comienza en una portería; B se sitúa cerca de la línea de banda, aproximadamente a 30 m de la portería; C comienza en el círculo central y D está en la frontal del área contraria. El portero A cuenta con numerosos balones.

Desarrollo: Comenzar el ejercicio con el portero A distribuyendo el balón a B, ya sea con un saque raso o con un saque como lanzamiento de disco. El portero B recibe el balón y lo envía al portero C empleando la técnica como si lanzara una jabalina. El portero C recibe el balón y lo distribuye hacia el portero D como si lanzara una jabalina. El portero D devuelve el balón al portero A mediante un saque de puerta o un saque de volea que recorra toda la longitud del campo. Repetir el circuito cinco veces, tras las cuales los porteros rotan de posición y repiten. Jugar hasta que cada portero haya estado un turno en cada estación.

Forma de puntuación: Conceder 1 punto por cada saque con la mano preciso y 2 puntos por cada saque preciso con el pie. Por definición, un saque con la mano preciso es aquel que no obliga al receptor a moverse más de cuatro pasos en cualquier dirección para recibir el balón. Un saque con el pie preciso es aquel que sobrevuela la línea central del campo y llega rodando al área contraria. El portero que consiga más puntos gana.

Consejos prácticos: La precisión es más importante que la distancia en los saques con la mano, al menos en la mayoría de las situaciones. La distancia se vuelve más prioritaria en los saques con el pie (saque de puerta o de volea). Este ejercicio es apropiado para los porteros físicamente maduros y experimentados de 14 o más años.

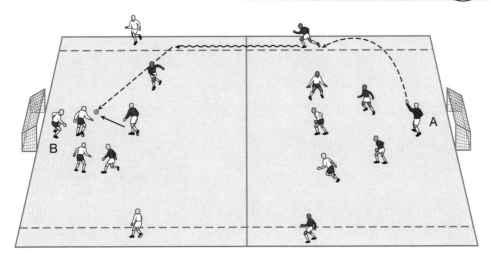

Minutos: 20

Jugadores: 16 (4 jugadores en las bandas, 6 atacantes, 4 defensores y 2 porteros)

Objetivos: Desarrollar la técnica del portero para recibir y controlar balones enviados al área de gol; coordinar el juego del portero y el de los defensores; distribuir el balón con precisión mediante saques con la mano.

Organización: Jugar en un campo de 65 × 75 m dividido por una línea central. Colocar una portería reglamentaria en cada línea de meta. Situar una fila de conos a unos metros de las líneas de banda y paralelas a estas para crear un carril en el que juegan los jugadores en las bandas sin oposición. Organizar dos equipos de siete jugadores de campo y un portero. Emplear petos de colores para diferenciar a los equipos. Cada equipo tiene un jugador en cada carril de la banda, tres jugadores (atacantes) en la mitad del campo rival y dos jugadores (defensores) en su propia mitad. Los porteros comienzan en sus respectivas porterías, cada uno con una provisión de balones. Un portero (A) tiene el balón para comenzar.

Desarrollo: El portero A envía el balón a un compañero ubicado en uno de los carriles laterales. Dicho jugador inmediatamente conduce el balón sin oposición recorriendo la longitud del carril y envía un centro al área contraria. Los tres compañeros situados en dicha mitad del campo intentan rematar el centro mientras que los dos rivales en dicho espacio intentan despejar el balón fuera del área. Cuando el portero B tenga el balón en su poder, o tras el gol, lo distribuye a un compañero situado en un carril y el juego continúa hacia la portería contraria. Un centro al área no atajado por el portero se considera balón en juego y puede rematarse por el equipo atacante. El ejercicio continúa durante 20 minutos.

Forma de puntuación: El equipo (portero) que conceda el menor número de goles gana el juego.

Consejos prácticos: Para que el juego sea más exigente para el portero, permitir que los jugadores de las bandas salgan de los carriles y entren en el campo tras recibir el balón para crear una superioridad de 4 contra 2. Esta variación requiere que el portero realice ajustes adicionales.

Minutos: 20

Jugadores: Parejas

Objetivos: Mejorar la técnica para detener disparos en un formato competitivo.

Organización: Los porteros (A y B) se emparejan para competir entre sí. Jugar en un campo de 20 × 30 m y colocar en cada línea de fondo una portería portátil de dimensiones normales; si no se dispone de porterías portátiles, utilizar banderas para representar las porterías. Cada portero se sitúa en una portería. El portero A comienza con el balón y en cada portería hay una provisión de balones adicionales.

Desarrollo: El portero A avanza cinco pasos alejándose de la línea de meta e intenta superar al portero B con un lanzamiento con la mano o con una volea. Tras la parada o el gol encajado, el portero B intenta marcar gol al portero A de la misma forma. Los porteros regresan a su línea de meta después de cada lanzamiento.

Forma de puntuación: Conceder puntos por evitar los goles: 2 puntos por parar y capturar el balón y 1 punto por parar desviando el balón (o despejándolo) lejos de la portería. El portero que consiga más puntos gana la competición.

Consejos prácticos: Los porteros han de avanzar alejándose de su propia línea de meta para reducir el ángulo del rival. Evitar al máximo los rechaces. Si los porteros no tienen seguridad para capturar el balón deben despejarlo fuera del campo.

Tirarse al suelo y parar (5 contra 2 + 2 contra 5) 167

Minutos: 20

Jugadores: 16 (2 equipos de 7 jugadores de campo y 2 porteros)

Objetivos: Practicar las técnicas para detener disparos en una situación similar a la de partido.

Organización: Utilizar conos chinos para señalizar un área de juego de 35 × 55 m dividida por una línea central. Situar en cada línea de meta una portería reglamentaria. Organizar dos equipos de siete y emplear petos de colores para diferenciar a los equipos. Cada equipo coloca a cinco jugadores en el campo rival y a dos jugadores en su propio campo defensivo, creando una situación de cinco atacantes contra dos defensores en cada mitad del campo. Hay un portero en cada portería. Es necesario un balón por juego; en cada portería hay balones extra. Un equipo recibe la posesión para comenzar.

Desarrollo: Un portero inicia el juego distribuyendo el balón a un compañero situado en el campo rival. Los atacantes solo pueden dar dos toques al balón antes de pasarlo a un compañero o disparar a puerta. Si el defensor roba el balón o el portero realiza una parada, envía inmediatamente el balón a un compañero situado en el campo rival. Jugar durante 20 minutos con cinco atacantes contra dos defensores en cada mitad del campo. Se aplican las reglas habituales, salvo las restricciones en cuanto al número de toques.

Forma de puntuación: El portero que encaje menos goles gana.

Consejos prácticos: Este juego debería producir muchas y variadas oportunidades de marcar gol. Los porteros deben comunicarse de forma eficaz con su defensa y colocarse bajo los palos de la mejor forma posible para reducir el ángulo de tiro del atacante y detener los tiros a puerta.

(168) Defender la portería de dos lados

Minutos: 20

Jugadores: 10 (2 equipos de 4 jugadores de campo y 2 porteros)

Objetivos: Mejorar la técnica para detener tiros a puerta, la cobertura de los ángulos, la movilidad y el juego de pies.

Organización: Jugar en un cuadrado de 45 m de lado. Utilizar banderas o conos para señalizar un rectángulo de 1,5 × 5 m que representa una portería de dos lados en el centro del campo. Organizar dos equipos de cuatro jugadores de campo cada uno. Emplear petos de colores para diferenciar a los equipos. En cada lado de la portería de dos lados se sitúa un portero. Un portero comienza con el balón.

Desarrollo: Para empezar, el portero lanza el balón hacia una esquina del cuadrado de juego y los dos equipos luchan por obtener la posesión. No se aplica la regla del fuera de juego y es posible marcar goles desde ambos lados de la portería; se aplican el resto de reglas habituales. Los porteros son neutrales e intentan detener todos los tiros. Después de cada parada o gol, se reinicia el juego con el portero lanzando el balón a una esquina del área.

Forma de puntuación: Un disparo que atraviesa la portería por debajo de la cabeza del portero cuenta como gol marcado. El portero que encaje menos goles gana la competición.

Consejos prácticos: Los porteros han de realizar todo tipo de paradas en este juego (lanzándose a los pies de los atacantes, reacciones rápidas, en estirada, etc.). Con los porteros más jóvenes, delimitar una zona de 4 m de profundidad a cada lado de la portería en la que no pueden entrar los atacantes. Esto ayudará a evitar las colisiones entre los jugadores de campo y los porteros.

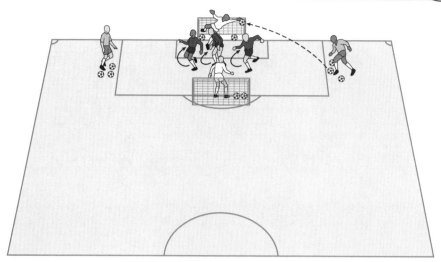

Minutos: 20

Jugadores: 7 (1 equipo de 3 jugadores de campo, 2 pasadores, 2 porteros)

Objetivos: Desarrollar la técnica del portero para capturar y controlar los balones por alto centrados al área.

Organización: Jugar dentro del área de penalti de 15 × 40 m. Situar una portería reglamentaria en la línea de meta y una segunda portería en la frontal del área de penalti, de cara a la primera portería. Organizar un equipo de tres jugadores de campo que comienzan dentro del área entre las dos porterías. En cada banda hay un pasador, fuera del área de penalti. En cada portería se coloca un portero y también una provisión de balones.

Desarrollo: El juego comienza cuando un portero lanza el balón a uno de los pasadores en las bandas, que conduce hacia la portería contraria y envía un centro al área. El equipo de tres jugadores intenta finalizar todos los centros y marcar gol. No hay más defensores que el portero. Cuando un portero recibe un balón centrado al área o realiza una parada, inmediatamente distribuye el balón al pasador ubicado en la banda contraria; este jugador conduce el balón hacia la portería contraria y envía un centro al área. El equipo de tres jugadores corre hacia dicha portería e intenta finalizar el centro marcando gol. El ejercicio continúa, alternándose de una portería a la otra, hasta que se agote la provisión de balones. Cualquier balón que el portero no captura se considera balón en juego y puede rematarse a puerta por el equipo de tres jugadores.

Forma de puntuación: El portero que encaje menos goles gana el juego.

Consejos prácticos: Este ejercicio requiere que los porteros amplíen su radio de acción y cobertura en el área de meta. Los porteros han de ser agresivos en sus esfuerzos por capturar el balón por alto, pero sin ser temerarios. Deben decidir cuándo pueden llegar al centro y cuándo está fuera de su alcance, así como qué centros capturar y qué centros despejar fuera del área. A modo de variación, añadir un defensor en cada portería que defienda los centros al área.

Minutos: 20

Jugadores: 18 (2 equipos de 4 jugadores de campo más 8 pasadores y 2 porteros)

Objetivos: Ofrecer al portero la oportunidad de practicar la salida por alto ante diversos tipos de centros.

Organización: Organizar dos equipos de cuatro. Emplear petos de colores para diferenciar a los equipos. Utilizar conos para señalizar un área de juego de 35 × 45 m, dividido por una línea central. Ubicar una portería reglamentaria en cada línea de fondo. Cada equipo defiende una portería. Cada equipo sitúa a dos jugadores en su mitad defensiva del campo y a otros dos jugadores en la mitad del rival. Dos pasadores se sitúan por fuera de cada línea de banda, uno en cada mitad del campo. Dos pasadores más se colocan por detrás de cada línea de meta, uno a cada lado de la portería. Cada pasador cuenta con varios balones. Hay un portero en cada portería.

Desarrollo: Numerar a los pasadores del uno al ocho y establecer una secuencia (orden) en la que han de enviar los centros. El juego comienza cuando el primer pasador envía un centro por alto al área de gol. Los equipos juegan un 2 contra 2 en cada mitad. Los defensores intentan despejar el balón fuera del área mientras que los atacantes procuran cabecear o rematar de volea el centro. El portero ha de intentar jugar todos los balones por alto, ya sea capturándolos, despejando de puños fuera del área o desviándolos a córner por encima del larguero. Cuando el balón es despejado o atrapado por el portero o cuando se ha marcado gol, se realiza el siguiente centro. Los pasadores de la banda envían sus centros al palo corto. Los pasadores de la línea de fondo envían centros bombeados al palo largo. Continuar hasta realizar 8 centros al área en la misma portería y luego repetir el ejercicio en la portería contraria. Jugar un total de cinco rondas (40 centros) con cada portero.

Forma de puntuación: El portero que encaje menos goles gana la competición.

Consejos prácticos: Los porteros han de intentar controlar lo máximo posible al área de gol, aunque no deben asumir riesgos excesivos que puedan costar a su equipo un gol. Cada portero debe determinar sus límites y jugar dentro de ellos.

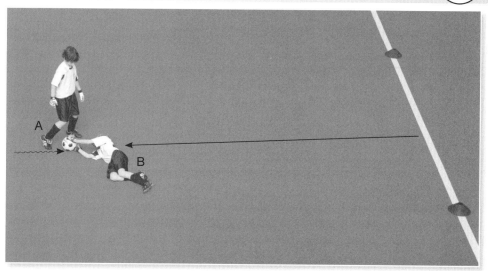

Minutos: 20

Jugadores: Número ilimitado (por parejas)

Objetivos: Salvar el gol en situación de contraataque.

Organización: Los porteros (A y B) forman una pareja para competir. Utilizar conos para señalizar un área de juego de 20 × 25 m. Situar banderas o discos para representar una portería de 10 m en cada línea de meta. Cada portero se coloca en una portería. El portero A comienza teniendo el balón.

Desarrollo: Los porteros intentan, por turnos, marcar gol al otro portero corriendo con el balón e intentando regatear al rival o superarlo por bajo, simulando una situación de contraataque. Está prohibido tirar a puerta. Está permitido rematar un rechace del portero. Después de cada parada o gol marcado, los porteros vuelven a sus porterías y se repite. Jugar durante un tiempo determinado o hasta completar cierto número de contraataques.

Forma de puntuación: Conceder 1 punto por cada parada en situación de contraataque. El portero que consiga más puntos gana.

Consejos prácticos: El portero que defiende debe salir de la portería y avanzar para reducir el ángulo de tiro y ofrecer una barrera al atacante. Es fundamental ejecutar la técnica adecuada. Según avanza el portero, ha de comenzar a agacharse adoptando una postura casi en cuclillas con las rodillas flexionadas y los brazos estirados hacia los lados. El portero se lanza hacia un lado con los brazos estirados y en busca del balón para realizar la parada.

(172) Gol solo en contraataque

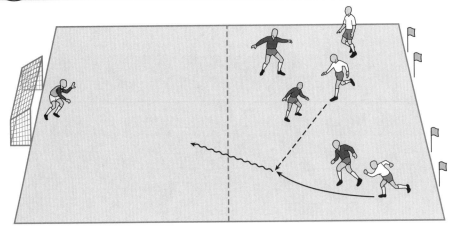

Minutos: 20

Jugadores: 7 (2 equipos de 3 más 1 portero)

Objetivos: Ofrecer al portero la oportunidad de practicar las situaciones de contraataque.

Organización: Utilizar conos para señalizar un área de 20 × 35 m dividida por una línea central. Situar una portería reglamentaria en una línea de meta; con banderas, representar dos porterías pequeñas en la línea de meta contraria. Organizar dos equipos (A y B) de tres jugadores de campo cada uno. Emplear petos de colores para diferenciar a los equipos. Es necesario un balón; se recomienda tener una provisión adicional de balones.

Desarrollo: El portero se sitúa en la portería reglamentaria. Los equipos A y B juegan un 3 contra 3 en la mitad del campo contraria a la del portero. El equipo A defiende la portería reglamentaria y puede marcar gol disparando a cualquiera de las dos porterías pequeñas situadas en dicha mitad del campo; el equipo B marca gol conduciendo el balón más allá de la línea de medio campo, que sirve como línea de contraataque, y disparando a la portería grande. Cuando un jugador del equipo B supera con el balón controlado la línea de contraataque, continúa avanzando sin oposición hacia el portero, creando una situación de contraataque. Tras el intento de marcar gol, independientemente del resultado, el jugador vuelve inmediatamente a la otra mitad del campo, donde se reinicia el juego. Jugar dos tiempos de 10 minutos. Los equipos cambian de roles en la segunda mitad, con el equipo A atacando al contraataque y el equipo B atacando las porterías pequeñas.

Forma de puntuación: Conceder 2 puntos de penalización por cada gol marcado al contraataque. El equipo que conceda menos puntos gana el partido.

Consejos prácticos: Para evitar las lesiones, el portero ha de utilizar la técnica adecuada cuando intente hacerse con el balón. A medida que sale de la portería y avanza hacia el atacante, ha de ir agachándose con las rodillas flexionadas y los brazos estirados hacia los lados. Cuando se acerque al atacante, el portero se echa sobre un costado (la cabeza no debe ir en primer lugar) con los brazos estirados para llegar al balón y detenerlo. A modo de variación, permitir que un defensor persiga al atacante tras cruzar la línea de contraataque.

Minutos: 15

Jugadores: De 12 a 16 (2 equipos de 5 a 7 jugadores de campo y 1 portero)

Objetivos: Practicar paradas en situaciones de 1 contra 1.

Organización: Utilizar conos para aumentar el área de penalti hasta 30 × 40 m y dividirla a lo largo por una línea central. Colocar una portería reglamentaria en cada línea de fondo. Organizar dos equipos de igual tamaño, cada uno con un portero. Un portero se sitúa en cada portería; los compañeros del portero forman una fila en el lado derecho de su portería, cada uno de ellos con un balón y de cara a sus rivales situados en la línea de fondo contraria.

Desarrollo: El primer jugador de cada equipo, de forma simultánea, ataca al portero rival (conduciendo el balón hacia él). Cuando el atacante cruza la línea central del área, tiene la opción de tirar a puerta o de continuar para batir al portero en su salida. Justo después de cada parada o cada gol, el siguiente jugador de la fila sale para atacar. Continuar el juego hasta que cada jugador de campo haya intentado batir al portero rival. Reorganizarse y repetir varias rondas.

Forma de puntuación: El portero que encaje menos goles gana la competición.

Consejos prácticos: El portero puede reducir el ángulo de tiro saliendo de la portería y avanzando hacia el atacante cuando este entra en el área. El portero ha de elegir la técnica adecuada en función de los movimientos del atacante.

(174) Portería de cuatro lados

Minutos: 20

Jugadores: 10 (2 equipos de 4 jugadores de campo y 1 portero por equipo)

Objetivos: Desarrollar la técnica para detener disparos; mejorar la movilidad y el juego de pies; mejorar la cobertura de ángulos de tiro.

Organización: Organizar dos equipos de cuatro jugadores de campo y un portero. Emplear petos de colores para diferenciar a los equipos. Jugar en una mitad de un campo reglamentario. Situar cuatro conos en el área central para formar un cuadrado de 7 m de lado. Cada lado del cuadrado representa una portería. Es necesario un balón por cada juego; se recomienda tener una provisión adicional de balones. Un equipo recibe el balón para comenzar.

Desarrollo: Comenzar con un saque de banda desde fuera del área de juego. Cada equipo defiende dos lados adyacentes del cuadrado y puede marcar en los otros dos lados del cuadrado. Es posible disparar desde cualquier distancia y ángulo. El portero debe defender las dos porterías del equipo (para lograrlo, debe cambiar de una a otra en función del movimiento del balón). No se aplica la regla del fuera de juego, pero sí el resto de reglas.

Forma de puntuación: Gana el portero que encaje menos goles.

Consejos prácticos: Los porteros utilizan la técnica de deslizamiento lateral para desplazarse de una portería a otra y estar preparado para realizar una parada. Los porteros no deben cruzar las piernas cuando se estén desplazando lateralmente.

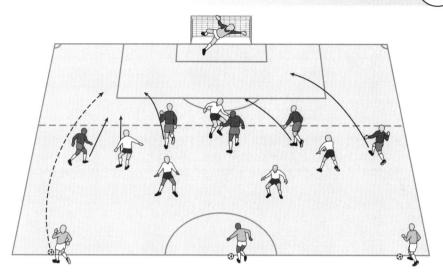

Minutos: 20

Jugadores: 14 (2 equipos de 5 jugadores de campo más 1 portero y 3 pasadores)

Objetivos: Practicar la comunicación y coordinación del portero con sus defensas.

Organización: Jugar en una mitad de un campo reglamentario. Organizar dos equipos de cinco jugadores de campo cada uno; el equipo defensor consta de cuatro defensores y un centrocampista. El equipo atacante cuenta con tres delanteros y dos centrocampistas. Señalizar mediante conos una línea restrictiva a 30 m de la portería. El equipo defensor se coloca para defender la portería. El equipo atacante se coloca para atacar la portería. Ningún equipo puede comenzar dentro del área marcado por la línea restrictiva y ha de estar al menos a 30 m de la portería al inicio del juego. Hay tres pasadores, cada uno con un conjunto de balones, situados a 55 m de la portería y ocupando la anchura del campo, separados la misma distancia entre sí.

Desarrollo: El juego comienza con un pasador enviando un balón a la espalda de la defensa, más allá de la línea restrictiva. Cuando el balón supera la línea restrictiva, ambos equipos pueden entrar en dicha área y luchar por el balón. El portero debe comunicarse con sus compañeros e indicar si él mismo va a por el balón (gritando "¡portero!"), si desea que su defensa despeje el balón (gritando "¡fuera!") o si quiere que le envíen el balón hacia atrás (gritando "¡atrás!"). El juego continúa hasta que el portero captura el balón, marcan un gol o el balón sale despejado más allá de la línea restrictiva de 30 m. Después de cada ronda, los equipos se vuelven a situar fuera de la línea restrictiva y se repite el ejercicio con un pasador diferente enviando el centro.

Forma de puntuación: Ninguna.

Consejos prácticos: El portero está en buena posición para ver el campo y dirigir la línea defensiva. Las órdenes han de ser claras y concisas, sin titubeos. Es fundamental que el portero trabaje junto a la última línea de la defensa para controlar los cruciales huecos que hay detrás de los defensores.

Agradecimientos

El trabajo en equipo necesario para formar un equipo de fútbol de éxito puede equipararse al esfuerzo colectivo implicado en la escritura y publicación de un libro de alta calidad. Simplemente no puedes hacerlo solo. En este sentido, estoy en profunda deuda con muchas personas por su ayuda en este proyecto. Aunque no es posible mencionar los nombres de todo el mundo, me gustaría expresar mi sincero agradecimiento a las siguientes personas:

El equipo de Human Kinetics, especialmente Carla Zych, me ha ofrecido valiosas opiniones y consejos a la hora de desarrollar el libro y finalizar el manuscrito.

Tom Heine, coordinador editorial, estuvo abierto a valorar el concepto y a iniciar el proceso.

El cuerpo técnico de la Academia de fútbol Shoot to Score compartieron conmigo sus ideas y reflexiones.

Un especial agradecimiento es para los jóvenes futbolistas que voluntariamente cedieron su tiempo y esfuerzo como modelos en las fotos que acompañan el texto: Gabriella y Ronaldo Del Duca, Danny Ferris, Jonny Geisler, Jeff Howard, Eliza y Travis Luxbacher, Ethan Marsh, Meredith y Elizabeth McDonough y Jonathan Pyles. Espero sinceramente que sigan disfrutando del fútbol en los años venideros.

Mi sincero agradecimiento también se dirige a Tom Goodman, valioso miembro de la comunidad de entrenadores, por su disponibilidad para escribir el prólogo de *175 juegos y ejercicios de fútbol*. Por último, pero no por ello menos importante, quiero dar las gracias a mi bella esposa, el amor de mi vida, por apoyar y animar mis múltiples intereses y proyectos.

Sobre el autor

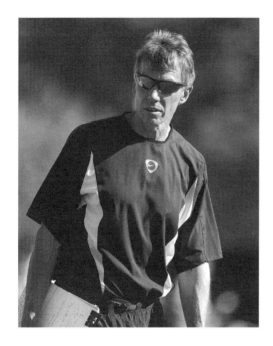

Joe Luxbacher tiene más de 30 años de experiencia en competiciones deportivas. Exjugador de fútbol profesional en la Liga de Fútbol Norteamericana, la Liga de Fútbol Americana y en la Gran Liga de Fútbol Sala, dirige el equipo masculino de fútbol de la Universidad de Pittsburgh desde 1984.

Elegido en dos ocasiones Mejor Entrenador del Año de la Conferencia Este, posee un doctorado en Educación Física, Deportiva y para la Salud de la Universidad de Pittsburgh y cuenta con una licencia de entrenador de nivel A de la Federación de Fútbol de Estados Unidos.

Luxbacher es autor de más de una docena de libros y numerosos artículos sobre fútbol. Estos últimos han aparecido en publicaciones nacionales como *Scholastic Coach & Athletic Director* y *Soccer Journal*.

Desde 2005 ocupa un lugar en el Salón de la Fama de los Deportes de Western Pennsylvania y en 2003 fue designado Letterman of Distinction por la Universidad de Pittsburgh. Luxbacher también es el fundador y director de la Academia de Fútbol Shoot to Score, entidad que organiza campamentos formativos, *clinics* y torneos para jugadores de entre 7 y 18 años. La página web es www.shot2score.net.

Luxbacher vive en Pittsburgh, Pennsylvania, con su mujer, Gail, y sus hijos, Eliza y Travis.

OTROS TÍTULOS PUBLICADOS:

101 ejercicios de fútbol para niños de 7 a 11 años
(3.ª edición revisada y actualizada)
Malcolm Cook

Cód.: 500475 - 128 páginas

101 ejercicios de fútbol para jóvenes de 12 a 16 años
(3.ª edición revisada y actualizada)
Malcolm Cook

Cód.: 500476 - 128 páginas

101 ejercicios de entrenamiento de fútbol para jóvenes
Tony Charles y *Stuart Rook*

Cód.: 500547 - 128 páginas

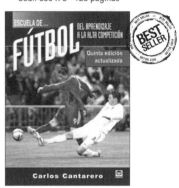

Escuela de fútbol. Del aprendizaje a la alta competición
(5.ª edición actualizada)
Carlos Cantarero

Cód.: 507010 - 192 páginas

Ejercicios de entrenamiento para jóvenes futbolistas
Robert Koger

Cód.: 500438 - 160 páginas

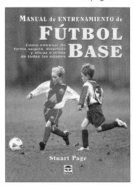

Manual de entrenamiento de fútbol base
Stuart Page

Cód.: 500423 - 208 páginas

Anatomía del futbolista
Donald T. Kirkendall

Cód.: 502101 - 224 páginas

**Fútbol. El control
perfecto del balón**
Peter Schreiner

Cód.: 500491 - 208 páginas

**Preparación física de
los jóvenes futbolistas**
Simon Thadani, Steve Foley y *Alison Byard*

Cód.: 502081 - 224 páginas

**Preparación física
completa para el fútbol**
Simon Thadani

Cód.: 502067 - 176 páginas

**Entrenamiento de
la fuerza en fútbol**
Ralf Meier

Cód.: 500400 - 128 páginas

**Fútbol. Entrenamiento
de la fuerza mental**
Bill Beswick

Cód.: 500519 - 216 páginas

(continúa)

**El entrenador de fútbol.
El camino profesional**
Malcolm Cook

Cód.: 500385 - 176 páginas

La coordinación en el fútbol
*Jürgen Buschmann, Klaus Pabst
y Hubertus Bussmann*

Cód.: 500203 - 112 páginas

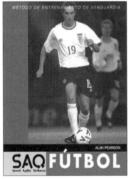

SAQ Fútbol
Alan Pearson

Cód.: 500228 - 160 páginas

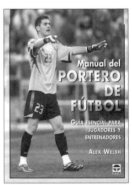

Manual del portero de fútbol
(2.ª edición)
Alex Whelsh

Cód.: 500283 - 128 páginas

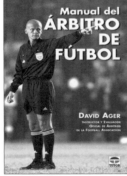

Manual del árbitro de fútbol
David Ager

Cód.: 500258 - 168 páginas

Conocer el deporte. Fútbol
The Football Association

Cód.: 517002 - 48 páginas